Pour Morwenna

Traduit de l'anglais par Amélie Sarn

Titre original : *Goth Girl and the Ghost of a Mouse*
Text and illustrations copyright © Chris Riddell 2013
First published 2013 by Macmillan Children's Books
a division of Macmillan Publishers Limited

Pour l'édition française :
© 2014 Éditions Milan, 300, rue Léon-Joulin,
31101 Toulouse Cedex 9, France
Loi 49-956 du 16 juillet 1949
sur les publications destinées à la jeunesse
ISBN : 978-2-7459-6815-9
www.editionsmilan.com
Dépôt légal : 4ᵉ trimestre 2014
Imprimé en Chine

Lili Goth

et la souris fantôme

CHRIS RIDDELL

·

MILAN

CE LIVRE CONTIENT DES NOTES DE PIED DE PAGE
ÉCRITES PAR LE PIED TRANCHÉ DU FAMEUX ÉCRIVAIN
QUI A PERDU LE PIED SUSMENTIONNÉ LORS DE LA
BATAILLE DE BADEN-BADEN-WURTEMBERG-BADEN.

Chapitre un

ili Goth se redressa dans son lit
à baldaquin et scruta les ténèbres
qui régnaient dans sa chambre.

Ce n'était pas la première fois qu'elle l'entendait.

Un petit soupir, suivi d'un couinement.

Elle prit le chandelier sur sa table de chevet
et alluma la bougie avant de se lever.

— Qui est là ? murmura-t-elle.

Lili était la fille unique de lord Goth du manoir
des Frissons frissonnants, le célèbre poète à roulettes.
Sa mère, Parthénope Goth, avait été également très
renommée. Pour sa beauté et sa grâce, mais surtout
pour ses spectacles de funambulisme. Lord Goth
l'avait rencontrée lors d'un voyage à Thessalonique.
Malheureusement, Parthénope était morte

quand Lili était encore toute petite, en s'entraînant sur les toits du manoir des Frissons frissonnants pendant un orage.

Lord Goth n'évoquait jamais cette terrible nuit. Depuis ce jour – enfin, cette nuit –, il restait enfermé dans son immense demeure et ne quittait presque jamais son bureau, où il écrivait de très longs poèmes. Le reste du temps, monté sur Pégase, son cheval à roulettes, il se promenait sur ses terres et tuait son ennui en tirant sur les ornements du parc avec un tromblon. On le disait particulièrement cruel avec les nains de jardin. Depuis l'accident, lord Goth obligeait Lili à porter d'énormes chaussures très bruyantes quand elle déambulait

LORD GOTH

6

dans les couloirs du manoir.
De cette façon, il l'entendait
toujours approcher et courait
se réfugier dans son bureau.
Lili ne voyait donc pas
souvent son père et, parfois, elle
en était malheureuse. Mais elle
comprenait. Une fois par semaine,
quand elle prenait le thé en sa compagnie dans
la galerie des portraits du manoir, elle voyait bien
que, chaque fois qu'il la regardait, une intense
tristesse assombrissait ses yeux. Avec ses boucles
noires et ses yeux verts, la jeune fille ressemblait
beaucoup à sa mère. (Lili le savait car elle avait
hérité d'un médaillon avec une peinture miniature
de Parthénope à l'intérieur.)

— Qui est là ? murmura-t-elle de nouveau, un peu
plus fort cette fois.

— Ce n'est que moi, lui répondit une petite voix.

Lili enfila ses chaussons de cuir noir. Ils avaient appartenu à sa mère, qui s'en servait lors de ses spectacles. Ils étaient très confortables et, surtout, silencieux. Lili les portait toujours pour explorer le manoir durant la nuit pendant que tout le monde dormait. Même si elle y avait vécu toute sa vie, le bâtiment était si grand qu'elle n'en avait pas encore découvert tous les recoins.

Elle posa le pied sur le tapis anatolien au bas de son lit et avança, le chandelier à la main. Là, au milieu de sa chambre, elle distingua une minuscule silhouette qui scintillait d'une étrange lumière blanche.

Lili écarquilla les yeux.

— Tu es une souris ! s'exclama-t-elle.

La petite bête frissonna et soupira une nouvelle fois.

— C'est vrai, j'en étais une, sanglota-t-elle. Maintenant, je ne suis plus qu'un fantôme de souris.

LE MANOIR DES FRISSONS FRISSONNANTS

LE JARDIN ENCORE PLUS SECRET

LE JARDIN SECRET

L'ARRIÈRE DE L'ARRIÈRE-JARDIN (TRAVAUX EN COURS)

L'ANCIENNE GLACIÈRE

L'AILE BRISÉE

LES ÉTABLES INSTABLES

LES ÉCURIES DES CHEVAUX À ROULETTES

LA ROCAILLE AUX NAINS DE JARDIN

TERRASSE VÉNITIENNE

AILE OUEST

LA CHICA

N
E
S

L'ALLÉE DE LA CHANCE INOUÏE

LE MARÉCAGE DE LA MÉLANCOLIE

LE CHAMP DE COURSES DE MÉTAPHORE SMITH POUR CHEVAUX À ROULETTES

LA BUTTE DE L'AMBITI

VALLÉE GRAVILLONNÉE DE LA VANITÉ

LA MARE DE L'INTROSPECTION

LE LAC DES
CARPES
BAVARDES

LA GLORIEUSE
GLORIETTE

LE SALON
D'EXTÉRIEUR

LA NOUVELLE
GLACIÈRE

LA CHAMBRE
D'ÉTÉ

LES CUISINES

LE POTAGER

AILE EST

LE PARC AUX
DAIMS DINGUES

LA FONTAINE
TROP
DÉCORÉE

A DÉSILLUSION

LIGNE
D'ARRIVÉE

POINT
DE
DÉPART

VERS LE
HAMEAU DES
ORMEAUX

Le manoir des Frissons frissonnants était
une grande et vieille demeure. En tant que telle,
elle abritait un certain nombre de fantômes.
Il y avait la nonne blanche, qui apparaissait parfois
dans la grande galerie des portraits lors des nuits
de pleine lune, le moine noir, qui hantait
de préférence la petite galerie, et le vicaire beige,
qui descendait le grand escalier à califourchon
sur la rampe les premiers mardis de chaque mois.
Il leur arrivait de gémir, de pousser des hurlements
ou, dans le cas du vicaire, de chanter des chansons
d'une voix suraiguë, mais, contrairement
à cette souris, aucun d'entre eux ne parlait.

— Depuis combien de temps es-tu un fantôme ?
s'enquit Lili en s'asseyant en tailleur sur le tapis.

— Pas très longtemps, je crois, répondit le petit
revenant. La dernière chose que je me rappelle est
que je courais dans un couloir poussiéreux et plein
de toiles d'araignées. C'était la première fois que

j'y mettais les pattes. J'étais allé rendre visite
à une amie musaraigne dans le jardin et je me suis
égaré en rentrant chez moi. J'habite dans un trou
de souris confortable derrière la plinthe du bureau
de ton père… enfin, c'est là que je vivais quand
j'étais encore vivant…

La souris laissa échapper un nouveau soupir
suivi d'un couinement avant de reprendre :

— Tu es bien la fille de lord Goth,
n'est-ce pas ? C'est bien toi qui marches
avec ces grosses chaussures ?

— Oui, c'est moi, confirma poliment
Lili. Je m'appelle Lili.

— Moi, c'est Ismaël, répondit
la souris. Donc, je courais dans
ce couloir en prenant garde
de rester dans l'ombre quand
une délicieuse odeur m'a
chatouillé les narines.

LE VICAIRE
BEIGE

Je n'ai pas pu y résister. Je l'ai suivie et je me suis retrouvé devant le plus appétissant morceau de fromage que j'aie jamais vu. Jaune avec des taches bleuâtres et un parfum de chaussettes de garçon d'étable…

Ismaël avait fermé les yeux et tout son corps frémissait, de l'extrémité de ses moustaches au bout de sa queue.

— Ça ressemble à de l'ormeau bleu *, commenta Lili.

Elle en avait vu dans la cuisine la dernière fois qu'elle y était allée. Mais à vrai dire elle ne pénétrait pas souvent dans ce lieu un peu effrayant sur lequel régnait Mme Fouettard, qui était très grosse et parlait toujours très fort. Lili avait bien plus peur d'elle que de n'importe quel fantôme. Mme Fouettard passait son temps à inventer des recettes et à les noter dans un énorme livre tout en criant sur les pauvres

Note de pied de page

* L'ormeau bleu est un des fromages anglais les moins connus. Avec le puant du Somerset, l'évêque moisi et le cheddar pas ragoûtant, c'est aussi un des plus odorants. Pour ma part, je trouve qu'il sent très bon.

aides-cuisinières, qui ne pouvaient s'empêcher
de pleurer. Elle préparait toujours des plats très
compliqués qui nécessitaient au moins vingt-trois
couverts pour être dégustés. Ça, c'était pour
le petit déjeuner et le déjeuner. Au dîner,
c'était encore pire. Mais
son pied de rhinocéros
en gelée et sa tarte
d'otarie assaisonnée
de larmes d'aides-
cuisinières étaient
les plats préférés
de lord Goth.

   Lili, elle,
préférait un bon
œuf à la coque
avec du pain grillé.
   – De l'ormeau
bleu ? répéta

Mme FOUETTARD

Ismaël. Eh bien, je ne sais pas, mais, en tout cas, ça sentait diablement bon. Je m'apprêtais à en croquer une bouchée quand… Clac ! Tout est devenu noir.

Il réprima un frisson.

— Quand je suis revenu à moi, j'étais blanc, transparent et brillant. Sans compter que je flottais dans les airs. Mon corps, lui, était écrabouillé dans un horrible piège à souris.

— C'est horrible ! souffla Lili.

— Je ne pouvais supporter ce spectacle, reprit Ismaël, alors je me suis enfui. Je ne sais pas pourquoi, mais quelque chose m'a attiré dans ta chambre.

— Tu crois que je peux t'aider ? proposa Lili, même si elle ne voyait pas bien comment.

Ismaël haussa les épaules. Il ne semblait pas avoir beaucoup plus d'idées que la jeune fille. Mais tout à coup, il hocha la tête.

— Peut-être que…

— Quoi ? s'exclama Lili.

— Peut-être que tu pourrais venir avec moi et enlever le piège, suggéra Ismaël, avant qu'un autre innocent soit tué.

— Bonne idée, répondit Lili.

Sur la pointe des pieds dans ses chaussons de danseuse de corde, Lili suivit Ismaël le long du couloir. Ils empruntèrent la grande galerie jusqu'à l'escalier monumental. Les rayons de lune traversaient les immenses fenêtres et éclairaient les portraits accrochés aux murs. La nonne blanche n'était pas là, remarqua Lili, mais, dans leur cadre, ses ancêtres semblaient la suivre des yeux.

Il y avait le premier lord Goth, avec sa drôle de coiffure

LE 1ᵉʳ LORD GOTH

LE 2ᵉ LORD GOTH

LE 3ᵉ LORD GOTH

LE 4ᵉ LORD GOTH

LE 5ᵉ LORD GOTH

et son armure, et la troisième lady Goth,
avec sa fraise blanche autour du cou et son hermine
sur les genoux ; le cinquième lord Goth, à la grosse
bedaine, portait une lourde perruque poudrée
et semblait bouder.

— Par ici, chuchota Ismaël en trottinant
vers l'escalier.

Le vicaire beige non plus n'était pas là. Lili
en profita pour enfourcher la rampe et se laisser
glisser jusqu'en bas.

— Le couloir est par ici, précisa Ismaël quand
elle l'eut rejoint.

Lili suivit du regard la petite patte tendue
et sentit l'angoisse contracter son estomac.

— C'est dans l'aile brisée, chuchota-t-elle.

Le manoir possédait une aile ouest, un bâtiment
central coiffé d'un magnifique dôme, une aile est,
et à l'arrière se trouvait la partie la plus ancienne :
l'aile brisée.

MÉTAPHORE SMITH

Elle était nommée ainsi car elle aurait eu grand besoin de réparations, mais personne n'y allait jamais, et lord Goth avait fini par oublier toutes les chambres, les salles de bains et les salles de bal abandonnées qui s'y trouvaient.

C'est le quatrième lord Goth qui avait fait bâtir le dôme ainsi que plus de quatre cents cheminées ; le cinquième lord Goth avait fait ériger les colonnes devant l'entrée et bâtir de nouvelles cuisines dans l'aile est. Le père de Lili, qui était le sixième lord Goth, avait ajouté des salons et des bibliothèques dans l'aile ouest, sans oublier une écurie pour ses chevaux à roulettes. Il avait aussi engagé un des meilleurs paysagistes du monde, Métaphore Smith, pour agrémenter les jardins du manoir d'une rocaille abritant pas moins de mille nains de jardin. C'est également Métaphore Smith qui avait créé la fontaine trop décorée et le champ de courses pour chevaux à roulettes.

Lili et Ismaël traversèrent le hall central et pénétrèrent dans un petit passage caché par une tapisserie. Le couloir de l'aile brisée était comme l'avait décrit Ismaël : poussiéreux et plein de toiles d'araignées. Des dizaines de portes étaient alignées de chaque côté. La plupart des pièces derrière ces portes étaient vides et délabrées, mais certaines contenaient encore de vieux objets oubliés. Lili adorait les vieux objets oubliés.

Dans une chambre, était accroché le portrait d'une femme au sourire envoûtant ; une autre était remplie de vases chinois ornés de dragons ; une troisième abritait une statue de déesse sans bras. Ismaël s'arrêta devant une porte à double battant avec une poignée de bronze.

– C'était là ! s'écria-t-il.

Lili se pencha et découvrit le piège à souris sur lequel avait été placé un morceau d'ormeau bleu. Elle avança doucement le bout du pied et… clac !

Le piège cruel se referma avec force. Lili venait de le ramasser quand elle entendit une voix sifflante, familière et détestée.

– J'en ai eu une autre !

La porte s'ouvrit, mais Lili avait déjà filé à toutes jambes.

Chapitre deux

ili ne savait pas depuis combien de temps
elle courait, mais ça lui semblait une éternité.

Quand elle s'arrêta enfin, elle se rendit compte
qu'elle avait perdu Ismaël. Arrivée dans un étroit
corridor qui débouchait sur une petite cour,
elle sortit dans la nuit.

Devant elle, s'étendaient le jardin secret et le
jardin encore plus secret où personne n'allait jamais
et où la végétation poussait à son gré. Les ronces
et les rosiers sauvages y prenaient leurs aises ;
les arbustes décoratifs se mêlaient aux buissons.
Un petit panneau de bois annonçait : *L'arrière
de l'arrière- jardin (travaux en cours)*. Lili avait souvent
eu l'intention d'aller explorer cette partie du
domaine mais, suite à des complications avec ses

gouvernantes, elle n'en avait pas encore eu le temps. En réalité, Lili aimait bien ses gouvernantes et elle essayait d'être aussi sage que possible, mais les problèmes venaient des gouvernantes elles-mêmes, toutes envoyées par l'Agence des gouvernantes paranormales de Finsbury.

NE NOUS APPELEZ PAS, NOUS LE FERONS.

L'Agence des gouvernantes paranormales de FINSBURY

La première était écossaise et s'appelait Morag Macbee. Elle n'avait qu'une seule dent et était très fière de sa verrue sur le nez. Elle avait été si déçue de se rendre compte que Lili n'était pas une enfant

Morag
Macbee

difficile qu'elle avait développé un terrible eczéma et avait dû rentrer se faire soigner en Écosse.

La suivante s'appelait Hebe Poppins. Elle marchait comme un manchot et chantait sans arrêt. Lili la trouvait très gentille mais, quand Hebe découvrit que la petite n'était ni timide ni malheureuse, elle s'ennuya et s'enfuit avec un ramoneur.

Hebe
Poppins

Jane Grandzoreilles fut encore plus bizarre. Assez peu intéressée par le rôle de gouvernante, elle passait son temps à préparer du thé et à frapper à la porte de lord Goth.

Jane
Grandzoreilles

Le père de Lili dut se résoudre à la renvoyer quand elle essaya de mettre le feu à l'aile ouest.

Ce fut ensuite le tour de Nounou Darling. C'était en fait un chien de berger, mais elle se prenait pour un être humain.

Elle passait son temps à aboyer sur Lili, convaincue que la petite fille allait s'envoler pour un endroit appelé le Pays non imaginaire. Lord Goth finit par lui donner un os à ronger, et elle partit.

Nounou Darling

Becky Blunt était peut-être la pire de toutes. Elle avait eu des problèmes par le passé, et, quand elle avait essayé de voler l'argenterie, Mme Fouettard l'avait chassée en la poursuivant avec une louche.

Becky Blunt

Marianne Delacroix était arrivée par une nuit de tempête. Elle venait de Paris et se disait révolutionnaire. Elle avait beaucoup appris à Lili : des chansons en français, le tricot, comment monter une barricade... Ensemble, elles travaillaient sur un projet très intéressant qui consistait à fabriquer un mécanisme destiné à couper les têtes des poupées. Mais, un soir, Marianne était sortie

Marianne Delacroix

tout juste vêtue d'une petite chemise très échancrée et elle était tombée malade. Elle avait dû retourner en France.

Depuis, lord Goth semblait avoir oublié de recruter une nouvelle gouvernante. De l'avis de Lili, ce n'était finalement pas plus mal. Elle commençait à en avoir assez de ce défilé incessant.

La pleine lune illuminait l'arrière de l'arrière-jardin (travaux en cours), et Lili se promit de revenir le visiter en plein jour. Elle prit le chemin qui menait à l'aile ouest et s'apprêtait à pénétrer sous la verrière byzantine de la terrasse vénitienne quand un cri perçant lui fit lever la tête.

Un énorme oiseau blanc au long bec jaune légèrement incurvé plana au-dessus d'elle et se posa sur une bâtisse en ruines avant d'y entrer par un trou dans le toit. Lili avait eu le temps de voir qu'un pansement était collé sur son poitrail.

– Incroyable ! glapit une petite voix à ses pieds.

Lili regarda Ismaël qui venait d'apparaître
à ses côtés.

— Incroyable, répéta la petite créature
fantomatique. Si je ne me trompe pas, il s'agissait
d'un albatros. Et je suis sûr de ne pas me tromper,
car j'ai passé beaucoup de temps en mer.

— Ah oui ? fit Lili, intéressée.

— J'ai tout consigné dans mes mémoires, répondit
Ismaël. Je venais de les terminer quand…

Il regarda le piège que Lili tenait toujours à la
main. Gênée, la jeune fille le jeta aussi loin qu'elle
le put dans les broussailles de l'arrière de l'arrière-
jardin. Ismaël hocha la tête et la remercia.

— Maintenant, nous devons découvrir ce qu'un
albatros fabrique dans l'ancienne glacière, annonça-
t-il.

— C'est l'ancienne glacière ? s'étonna Lili.

La nouvelle glacière se trouvait dans la cuisine
d'été près de l'aile ouest. Lord Goth l'avait fait

construire pour y entreposer la glace qu'il
faisait venir directement de l'étang Walden
en Nouvelle-Angleterre*.

Mme Fouettard l'utilisait dans
la composition de ses crèmes glacées
penchées de Pise et de ses sorbets
à la langue de manchot.

— Oui, répondit Ismaël, c'est l'ancienne
glacière. Mon amie la musaraigne vit juste
à côté. Elle aime le silence et la tranquillité.

Lili traversa les broussailles en direction
de l'ancienne glacière. La porte était
entrouverte. Ismaël se glissa à l'intérieur,
et elle le suivit. Il lui fallut quelques instants
pour réussir à distinguer quoi que ce soit
dans la pénombre.

La glacière était une pièce immense remplie de
piles de glace. Il y avait aussi une grande malle de
voyage. Tout en haut de la plus haute pile de glace,

Note
de pied
de page

* L'étang
Walden est
en fait un très
grand lac
en Amérique
du Nord.
Des poètes,
philosophes
et autres
penseurs ont
fait construire
des cabanes
sur ses rives
afin de
« s'extraire des
mondanités ».

était assis un être étrange vêtu d'un manteau de marin. Coiffé d'un bicorne, il avait des planches de bois qui pouvaient venir d'un pont de bateau attachées aux pieds, et l'albatros était perché sur son épaule.

Son teint était cadavérique et des veines bleues saillaient sur ses tempes. Une cicatrice lui barrait le front. Ses yeux jaunes étaient cernés de bleu tandis que ses lèvres et ses ongles étaient noirs.

Il arrivait souvent à lord Goth d'inviter d'étranges visiteurs au manoir des Frissons frissonnants, et, parfois, il était si concentré sur ses poèmes qu'il les

L'EXPLORATEUR POLAIRE

oubliait purement et simplement. Quand Lili les rencontrait, elle se montrait toujours polie et accueillante.

Elle esquissa une petite révérence et sourit.

— Bonsoir, monsieur. J'espère que votre séjour se passe bien. Je m'appelle Lili et je suis enchantée de faire votre connaissance.

— Tout le plaisir est pour moi, répondit le drôle de bonhomme en soulevant son bicorne. Permettez-moi de me présenter. Je suis le monstre de Mecklemburg mais mes amis m'appellent l'explorateur polaire.

— De l'eau, de l'eau, partout de l'eau, grinça l'albatros, et pas une goutte à boire !

— Vous êtes le premier monstre que je rencontre, fit Lili.

Elle songea à s'asseoir sur un bloc de glace mais se ravisa.

— Voilà qui ne me surprend pas, commenta l'explorateur polaire, nous sommes assez rares. Il y a moi et ma fiancée et… eh bien, je crois que c'est tout. Voyez-vous, j'ai été assemblé et cousu par un jeune étudiant de l'université de Mecklemburg. J'étais son projet de science de savant fou…

Lili comprit que l'explorateur n'avait sans doute pas eu l'occasion de parler à quelqu'un depuis longtemps.

— De l'eau, de l'eau, partout de l'eau, grinça de nouveau l'albatros, et pas une goutte à boire !

L'explorateur l'ignora.

— Il m'a fabriqué à partir de morceaux de cadavres trouvés sur le champ de bataille de Baden-Baden-Wurtemberg-Baden.

J'ai les jambes d'un clairon, les bras d'un grenadier et le corps d'un sergent éclaireur de première classe.

Il aplatit ses cheveux tout fins et reposa son bicorne sur sa tête.

— J'ai mariné plus d'un mois dans une bassine de colle, reprit-il. Et c'est un éclair qui m'a donné la vie.

Il sourit. Ses dents étaient vertes.

— Malheureusement, mes débuts ont été un peu difficiles. Le chien du boucher s'est enfui avec mon pied gauche. L'étudiant était furieux. C'était un perfectionniste. Il refusait de rendre son projet à son professeur dans cet état et il m'a abandonné. Il avait honte de moi, voyez-vous…

L'explorateur parut soudain infiniment triste et ses yeux jaunes se remplirent de larmes.

— Quand son professeur lui a demandé son devoir, il a répondu qu'un chien l'avait mangé.

— Mon pauvre, compatit Lili.

— Maintenant, je ne me fais plus avoir, affirma l'explorateur en tapotant un coffre en bois à côté de lui. Je ne me déplace jamais sans un pied de rechange. Et j'ai décidé d'emprunter un bateau et de voyager jusqu'au pôle Nord. C'est un bel endroit, les paysages sont magnifiques. Mais il n'y a pas beaucoup de gens à qui parler.

— Des icebergs, des icebergs, partout des icebergs, croassa l'albatros, et pas une goutte à boire!

— Et comment avez-vous rencontré mon père, lord Goth? s'enquit Lili en essayant de réprimer un bâillement.

Les aventures de l'explorateur avaient beau être fascinantes, il était si tard qu'il commençait à être tôt.

— Oh, je ne le connais pas personnellement, avoua l'explorateur. Je suis un ami de Mary Shelleyzautres,

LA REVUE LITTÉRAIRE

OU

JOURNAL ARTISTIQUE, CULTUREL, BIOGRAPHIQUE ET HISTORIQUE

AOÛT 1799   NUMÉRO LXXXII

MARY SHELLEYZAUTRES

LA GRANDE ROMANCIÈRE SERA PRÉSENTE À LA
GRANDE FÊTE DE LORD GOTH
EN COMPAGNIE D'AUTRES ÉMINENTS INVITÉS ET PRENDRA PART
À LA COURSE DE BICYCLETTES MÉTAPHORIQUE
(UN KILOMÈTRE À CHEVAL À ROULETTES) AINSI QU'À

LA CHASSE D'INTÉRIEUR,

MENÉE DANS L'AILE BRISÉE DU **MANOIR DES FRISSONS
FRISSONNANTS** À LAQUELLE ASSISTERONT LES HABITANTS
DU HAMEAU DES ORMEAUX DU COMTÉ DE FRISSONS EN ANGLETERRE.

DANS CE NUMÉRO, VOUS DÉCOUVRIREZ AUSSI LA NOUVELLE
SÉRIE DE DESSINS HUMORISTIQUES DU CÉLÈBRE
CARICATURISTE MARTIN PUZZLEWIT SUR LA VIE
DU PAYSAGISTE MÉTAPHORE SMITH :

COUPS DE RÂTEAU

IMPRIMÉ POUR TRISTRAM SHANDYDOIGTS AU DAUPHIN EN PETITE BRETAGNE ET VENDU
PAR LE DR JENSEN DE WARWICK LANE, CHEZ QUI VOUS POUVEZ ACHETER LES ESPACES
PUBLICITAIRES, ET PAR FABERCROMBIE ET ITCH, TISSEURS RADICAUX DE PUTNEY, LONDRES.

la grande écrivain. C'est une femme qui sait très bien écouter. Comme vous, mademoiselle Goth.

— Je vous en prie, appelez-moi Lili, dit Lili.

— Eh bien, Lili, mon ami Coleridge ici présent…

Il tapota la tête de l'albatros.

— … a trouvé un exemplaire d'une revue littéraire sur un navire abandonné le mois dernier.

L'explorateur sortit une feuille de journal froissée de la poche de son manteau.

— Ça dit que Mary Shelleyzautres prendra part à la course de bicyclettes métaphorique et à la chasse d'intérieur organisées par votre père, expliqua-t-il de sa voix grave. J'ai pensé que je pourrais lui faire une surprise en la retrouvant ici.

Lili fronça les sourcils. Elle n'appréciait pas plus que ça les réceptions organisées par son père. Tous les ans, des lords, des ladys, des poètes, des peintres et des dessinateurs bizarres venaient au manoir et le mettaient sens dessus dessous. Mme Fouettard préparait des banquets plus extravagants que jamais et Lili devait se faire entendre sans se faire voir encore plus que d'habitude. La course de vélos était parfois amusante, mais Lili détestait la chasse d'intérieur durant laquelle les invités poursuivaient des animaux dans l'aile brisée avec des filets à papillons. Même s'ils étaient relâchés, Lili trouvait cette occupation cruelle. Malheureusement, cette chasse était très prisée et, chaque année, les villageois du petit hameau des Ormeaux remontaient la grande allée du manoir et s'attroupaient pour y assister en regardant par les fenêtres.

Une horloge sonna dans l'aile ouest. Il était quatre heures et les filles de cuisine n'allaient pas tarder à se mettre au travail. Lili se leva.

— Il faut que j'y aille.

L'explorateur acquiesça et posa son doigt sur ses lèvres noires.

— Pas un mot sur moi, souffla-t-il en adressant un clin d'œil à la jeune fille.

Chapitre trois

près avoir traversé en courant l'aile ouest, de la terrasse vénitienne à sa chambre en passant par le hall d'entrée, l'escalier monumental et le couloir, Lili était épuisée. Elle grimpa dans son grand lit à baldaquin, ferma les rideaux, s'écroula sur son énorme oreiller et s'endormit.

C'est le carillon de l'horloge posée sur le manteau de la cheminée de sa chambre qui la réveilla. Il était déjà onze heures !

Elle sauta de son lit et se précipita vers sa penderie. Comme tous les mercredis, ses habits du mercredi l'attendaient sur le divan dalmatien : un bonnet écossais, un châle des Highlands et une robe en tartan noir. C'est sa femme de chambre, Marylebone, qui chaque soir lui choisissait ses tenues. Marylebone était si timide que Lili ne l'avait jamais vue. Elle avait été la femme de chambre de la mère de Lili et, avant ça, son assistante chargée de créer ses costumes de danseuse de corde.

C'est tout ce que Lili savait d'elle, car elle passait tout son temps cachée au fond de l'immense placard de la penderie. Pourtant, parfois, quand Lili ne mettait pas ses vêtements correctement, elle entendait un grondement sourd derrière les portes.

Lili s'habilla rapidement et enfila ses grosses chaussures avant de se diriger vers la petite galerie des portraits où les filles de cuisine de Mme Fouettard mettaient chaque matin la table du petit déjeuner.

Elle avait gravi les marches de l'escalier monumental et se demandait si elle n'allait pas le redescendre à califourchon sur la rampe quand une main se posa sur son épaule.

— Tiens, tiens, ce ne serait pas la petite demoiselle, par hasard ? fit une voix mielleuse et sifflante. Il me semblait bien avoir entendu le bruit de vos grosses chaussures.

Lili se tourna vers la haute silhouette de Maltravers, le garde-chasse d'intérieur. Il avait des yeux gris pâle, de longs cheveux blancs et des vêtements couleur de fumée parfaitement assortis à son teint. Lili devait reconnaître qu'il lui faisait un peu peur. En général, elle l'entendait approcher au cliquetis du gros trousseau de clés à sa ceinture. Sauf quand elle portait ses énormes chaussures qui couvraient tous les autres bruits.

MALTRAVERS

Maltravers, qui sentait le tapis moisi, était
le garde-chasse d'intérieur du manoir des Frissons
frissonnants depuis toujours. Son travail consistait
à empêcher les corbeaux d'installer leurs nids
dans les cheminées ornementales, les guêpes
d'essaimer dans le grenier, les daims dingues*
de mâchouiller les tapisseries et les salamandres
à queue bleue de pondre dans les baignoires.
Il utilisait des filets, des fumigènes et des pièges
de toutes sortes.

Quand il n'était pas occupé à emprisonner,
empoisonner et exterminer, Maltravers passait
tout son temps dans l'aile brisée à élever
des animaux pour la chasse d'intérieur annuelle.

Une fois, il avait proposé aux chasseurs
des pigeons fuligineux de Rochdale, une autre
des lapins à longues oreilles de l'île de Wight ;
durant trois ans d'affilée, ça avait été des faisans
de salon.

Une fois la chasse terminée
– les participants utilisaient des filets
à papillons géants –, les petites bêtes étaient
relâchées dans le parc. En huit ans, les trois
daims dingues s'étaient tellement plu
dans leur nouvel environnement qu'ils
étaient maintenant au moins une centaine.

Maltravers, qui se montrait renfrogné
la plupart du temps, l'était encore plus
au moment de la libération des animaux.
Lili l'avait même surpris à plusieurs
reprises en train de jeter des regards
en coin vers le tromblon de lord Goth.

Elle frissonna.

– J'ai aperçu une ombre qui rôdait
dans l'aile brisée, la nuit dernière, siffla
Maltravers en plissant les yeux. Mais ça ne pouvait
pas être la jeune demoiselle, n'est-ce pas ? ajouta-t-il
avec un ricanement aussi bref que lugubre.

Note de pied de page

* Les daims dingues sont très chers et très rares. Minuscules, ils sont rapportés en cachette dans les poches des explorateurs ou des diplomates depuis le palais de la Cité absolument-interdite-je-ne-vous-le-redirai-pas de l'empereur de Chine.

Lili se sentit rougir et se mordit la lèvre.

— Parce que la petite demoiselle ne voudrait pas décevoir son papa en se promenant dans le manoir sans ses grosses chaussures, n'est-ce pas ? poursuivit Maltravers.

Lili recula d'un pas.

— Bien sûr que non, affirma-t-elle d'une voix tremblante.

— Quoi qu'il en soit, lâcha le garde-chasse sans la quitter des yeux, vous devez savoir, jeune demoiselle, que l'aile brisée est interdite d'accès jusqu'à la chasse annuelle, samedi prochain.

Il tourna les talons et Lili le regarda descendre l'escalier monumental en faisant tinter ses clés. Il traversa le hall et disparut par le passage dissimulé derrière la tapisserie.

— Interdite d'accès ? rétorqua Lili dès qu'il fut hors de vue. C'est ce qu'on va voir !

Note
de pied
de page

* Le vaisselier jacobéen est un des meubles les plus laids du manoir, mais, à cause de sa taille, de son poids et parce qu'il est fixé au sol, personne n'a jamais eu le courage de l'enlever.

Elle descendit les
marches à son tour et
se dirigea vers l'enfilade
de couloirs ornés de
sculptures de marbre
représentant
des dieux et des déesses,

qui menaient à la petite galerie.

Son petit déjeuner l'attendait sur le vaisselier
jacobéen *. Sous les cloches d'argent, se trouvaient
de la terrine de lièvre, du ragoût de campagnol, huit
plats de pigeon et de la poule d'eau en gelée.

Lili alla directement vers les œufs à la coque et
les tartines grillées coupées en forme de grenadiers
prussiens. Elle était en train de tremper un morceau
de pain dans son œuf quand le papier peint jaune
sur le mur face à elle oscilla comme l'eau d'un étang
dans lequel on vient de jeter un caillou.

Lili en laissa tomber sa tartine.

Un garçon sembla se détacher du mur. Il était exactement de la même couleur que le papier peint contre lequel il était appuyé, motifs compris. S'il n'avait pas bougé, Lili ne l'aurait pas du tout remarqué.

— Bonjour, le salua poliment Lili. Je ne crois pas que nous nous soyons déjà rencontrés. Je suis Lili, la fille de lord Goth.

Le garçon s'assit à côté d'elle et changea de couleur. Il se fondait maintenant dans le bois de sa chaise.

— Bonjour, je suis William Chou. Mon père, le professeur Chou, fabrique une machine à calculer dans le salon chinois, répondit le garçon. J'espère que je ne t'ai pas fait peur. Je suis atteint du syndrome du caméléon.

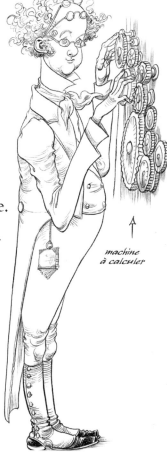

machine à calculer

CHARLES CHOU
L'INVENTEUR

Charles Chou était un inventeur
que lord Goth avait invité au manoir
six mois plus tôt. Il l'avait
totalement oublié.

— Je ne savais pas que
le professeur avait un fils,
remarqua Lili.

— Et une fille, ajouta une voix
derrière elle.

Lili se retourna et découvrit une
fille de son âge qui sortait de derrière
le vaisselier. Elle avait une boîte en bois, un
tabouret pliant et un gobelet avec des pinceaux
accrochés dans le dos, ainsi qu'un grand carton
à dessins sous le bras. Elle portait des mocassins
d'Indien aux pieds.

— Je suis Emma, la sœur de William, se présenta-
t-elle. William ! S'il te plaît, arrête de faire le malin
et va t'habiller !

Chaussons d'extérieur

EMMA CHOU

William rit et se leva pour aller se cacher derrière les rideaux de la grande fenêtre.

— Je ne t'avais pas entendue arriver, fit Lili en se levant.

— C'est parce que je porte des mocassins d'Indien, expliqua Emma. Mon père nous a demandé de ne pas vous déranger, c'est pour ça que William se camoufle et que je peins dans l'arrière-jardin.

Elle soupira.

— S'il vous plaît, ne lui dites pas que nous vous avons embêtée. On n'a pas fait exprès. Nous pensions que vous aviez déjà pris votre petit déjeuner depuis longtemps et on avait envie d'œufs à la coque et de tartines grillées, mais quand on vous a entendue arriver avec vos grosses chaussures…

Lili sourit et tendit la main à Emma.

— J'ai veillé tard, la nuit dernière, c'est pour ça que je me lève à cette heure-ci. Et vous ne me dérangez pas du tout. Je ne porte ces chaussures que parce que mon père veut être sûr de m'entendre quand je me déplace.

William sortit de derrière le rideau. Il avait enfilé un costume de velours bleu, des chaussettes jaunes et des bottines marron. Son visage avait la couleur du rideau.

Lili se dirigea vers le vaisselier jacobéen et prit deux œufs à la coque ainsi qu'une assiette remplie de tartines grillées en forme de grenadiers, avant de les tendre à Emma.

— Je serais ravie que vous preniez votre petit déjeuner avec moi, dit-elle. Moi aussi, j'adore les œufs à la coque et les tartines grillées.

Ils s'assirent donc tous ensemble. William fit couler du jaune d'œuf sur sa veste, mais les manières d'Emma étaient très délicates. Lili était impressionnée.

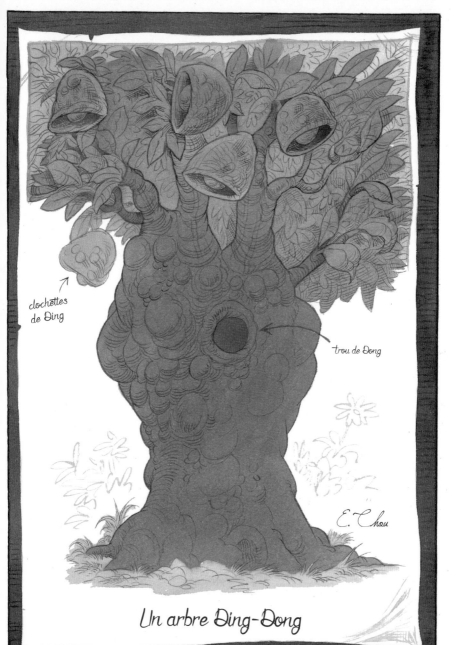

clochettes
de Ðing

trou de Ðong

E. Chou

Un arbre Ðing-Ðong

Quand ils eurent terminé, Emma ouvrit son carton à dessins et montra à Lili les aquarelles de plantes et de fleurs qu'elle avait peintes dans l'arrière de l'arrière-jardin (travaux en cours). Lili les trouva très belles. Quand William toucha la peinture d'une rose trémière, sa peau prit exactement la même couleur. Lili ne put s'empêcher de rire.

— Je te l'ai déjà dit, William, gronda sa sœur, arrête de faire ton malin.

Elle sourit à Lili.

— Vous devez excuser mon petit frère, mademoiselle Goth, il ne sait pas s'arrêter.

— Je t'en prie, appelle-moi Lili, lui demanda chaleureusement la jeune fille. Je suis tellement contente de discuter avec quelqu'un de mon âge ! Je me sens très seule parfois. Les filles de cuisine ont trop peur de Mᵐᵉ Fouettard pour oser m'adresser la parole et le seul autre humain que je croise est Maltravers, le garde-chasse d'intérieur. Mon père, lui, est toujours très occupé, et je ne le vois qu'une fois par semaine dans la grande galerie pour prendre le thé…

Lili se rendait compte qu'elle parlait beaucoup mais elle aimait bien Emma. La jeune fille était douée et bien élevée. De plus, ce qui ne gâchait rien, elle appréciait les œufs à la coque et les tartines grillées. Elle aurait voulu lui parler d'Ismaël et de l'explorateur polaire qui se cachait dans l'ancienne glacière, mais elle n'était pas sûre que ce soit une bonne idée. Lili ne voulait surtout pas faire peur à sa nouvelle amie et à son frère. Ismaël était quand même un fantôme et l'explorateur un monstre. Il serait sans doute plus sage d'attendre de mieux connaître les enfants Chou.

— Nous, on ne se sent pas seuls du tout, lança William alors que des rayures comme celles de sa tasse apparaissaient sur sa peau. On s'est fait des amis au club du grenier et ils ont tous le même âge que nous.

— Chut, William, le sermonna Emma. Le club du grenier est secret.

— Je garde très bien les secrets ! affirma Lili. Je peux faire partie du club, si je promets de n'en parler à personne ?

— Eh bien, commença Emma en rougissant sous ses taches de rousseur, le club du grenier n'est pas assez bien pour vous, mademoiselle, enfin, je veux dire, pas assez bien pour toi, Lili. Il réunit les domestiques les plus jeunes et les enfants des employés de ton père.

Elle fixa l'extrémité de ses mocassins d'Indien.

— Tu es la fille d'un lord, ajouta-t-elle. Tu as une gouvernante française et, un jour, tu seras lady Goth…

— M\ll\e Delacroix a attrapé un rhume et elle a dû partir, l'interrompit Lili en lui prenant la main. Mais elle avait des idées très intéressantes sur la manière de décapiter les poupées. J'aimerais beaucoup vous montrer.

— Tu promets de ne jamais parler du club à personne ? demanda Emma.

— Je le promets, promit Lili.

Chapitre quatre

près leur petit déjeuner tardif, William alla dans le salon chinois pour aider son père. C'est du moins ce qu'il raconta à Lili. Emma affirmait qu'en réalité, il voulait s'entraîner à prendre la couleur du papier peint décoré de dragons.

— Ça l'occupe pendant des heures, soupira-t-elle en levant les yeux au ciel.

Puis elle demanda à Lili :

— Ça te plairait de venir peindre avec moi ? La réunion du club ne commence pas avant ce soir, alors on a toute la journée devant nous.

— Oh oui ! s'enthousiasma Lili. J'adorerais ça.

Elle courut jusqu'à sa chambre — en faisant beaucoup de bruit — et enleva ses chaussures pour les remplacer par les chaussons de cuir de sa mère.

Puis elle prit son carnet à dessin et sa boîte
de crayons et redescendit sur la pointe des pieds.
Elle retrouva Emma sur la terrasse vénitienne.

— Tes chaussons sont très jolis, observa Emma.

Les deux jeunes filles firent le tour par l'aile ouest
et remontèrent le chemin qui donnait sur l'arrière
de l'arrière-jardin (travaux en cours). Lili jeta
un coup d'œil de l'autre côté de
l'épais buisson de ronces qui
cachait l'ancienne glacière,
mais elle ne vit ni l'albatros
ni l'explorateur polaire.

— Allons de ce côté, proposa-
t-elle néanmoins à Emma
en s'éloignant de la glacière.

Elles longèrent la pelouse
en évitant les ronces qui
envahissaient le chemin
et finirent par décider

d'un emplacement. Emma ôta la boîte
en bois de son dos et déplia son petit
tabouret. Puis, elle posa son gobelet à côté
d'elle. Ensuite, elle s'assit, prit la boîte
sur ses genoux et l'ouvrit. Dedans, il y avait
une gourde en cuivre remplie d'eau et des tas
de tubes de peinture aux noms bizarres
comme jaune de Naples, alizarine cramoisie,
lumière du Nord et gris de Payne.

   Emma remplit soigneusement son gobelet
d'eau et sortit une feuille de son carton
à dessins. Lili s'assit par terre à côté d'elle.

   — Tu sais ce que tu vas peindre ?
demanda-t-elle à sa nouvelle amie.

   — La plante qui est juste là, répondit
Emma en désignant une longue tige avec
des feuilles jaunes et des fleurs écarlates.
C'est un borogrove smouale, ajouta-t-elle,
il est très beau.

UN
BOROGROVE
SMOUALE

— Moi, je vais dessiner un monstre, décida Lili
en ouvrant sa boîte à crayons.
Un monstre imaginaire,
ajouta-t-elle à la hâte.

Elle fit une représentation
de l'explorateur polaire
avec son grand manteau
de marin, son visage tout
blanc, ses yeux pâles ainsi
que ses lèvres et ses ongles
noirs. Elle termina en dessinant l'albatros
sur son épaule avec de la craie blanche.

— Tu as beaucoup d'imagination, remarqua Emma.

— Et toi, tu as beaucoup de talent, répondit Lili.

Quand la peinture d'Emma fut sèche, elle
la rangea dans son carton à dessins, et les deux
jeunes filles se levèrent.

Elles retournaient vers la maison quand Emma
trébucha et s'étala de tout son long.

C'est en l'aidant à se relever que Lili découvrit un petit panneau de bois caché par les branches du bosquet. Il indiquait : *Chemin du jardin secret.*

— Ce chemin n'est pas très bien entretenu, constata Lili, mais, en regardant attentivement, on le distingue quand même.

— Chouette ! s'exclama Emma. Suivons-le.

Se glissant sous les branches basses et enjambant les racines tortueuses, elles s'enfoncèrent plus

profondément dans l'arrière de l'arrière-jardin (travaux en cours). Elles finirent par arriver devant un haut mur percé d'une petite porte. Une plaque de cuivre annonçait : *Le jardin secret.* Lili poussa la porte qui s'ouvrit en grinçant. Les deux amies entrèrent main dans la main.

Le jardin secret était dans un état pitoyable.

La pelouse était aussi haute que Lili et Emma, des herbes de toutes sortes avaient envahi les plates-bandes, et les arbres tordus se battaient pour bénéficier d'un peu de lumière.

Les jeunes filles continuèrent d'avancer dans ce labyrinthe et se retrouvèrent devant un autre mur, encore plus haut que le premier, avec une porte encore plus petite.

Elle aussi était ornée d'une plaque de cuivre. Sur celle-ci étaient gravés les mots : *Le jardin encore plus secret.*

Emma poussa la porte.

Lili lui donna un coup de main.

Mais, même à deux, elles ne réussirent pas à la faire bouger d'un pouce.

— J'aimerais tellement voir ce qu'il y a derrière, se désola Emma.

Lili remarqua alors la serrure.

— Je ne serais pas étonnée que Maltravers ait la clé, réfléchit-elle à haute voix avant de s'interrompre.

Elle porta la main à la bouche, catastrophée.

— Oh! Non! J'ai failli oublier! s'écria-t-elle soudain. On est mercredi! Je dois prendre le thé avec mon père dans la grande galerie. Il faut que je rentre me changer. Nous devrons poursuivre nos recherches une autre fois.

Quand elles arrivèrent à la terrasse vénitienne, Emma se tourna vers Lili.

— Si tu veux toujours faire partie du club du grenier, rejoins-moi en haut du grand escalier à dix heures ce soir. Je serai avec William.

— Compte sur moi, répondit Lili avant de filer à toute vitesse vers sa chambre.

Elle enfila ses vêtements du mercredi — un costume traditionnel hongrois — et ses grosses chaussures qui faisaient du bruit. L'horloge de grand-oncle* posée sur la cheminée de sa chambre sonna cinq heures.

— Je ne dois surtout pas être en retard, murmura Lili pour elle-même.

Elle sortit de sa chambre en faisant le plus de bruit possible.

Devant la porte de la grande galerie, elle tapa des pieds encore plus fort. La voix calme et élégante de lord Goth s'éleva :

— Entre, ma chère fille.

Lili obéit, et les tasses à thé sur la petite table tremblèrent sous ses pas.

— Oui, oui, je t'ai vue, fit lord Goth. Tu peux arrêter de faire tout ce bruit maintenant.

Elle remarqua que, comme d'habitude, il évitait de la regarder.

— Viens servir le thé, demanda-t-il.

Assis dans une des bergères près de la fenêtre, il portait des bottes d'équitation, une redingote bleu pâle au col en renard argenté et une de ces magnifiques cravates de soie dont il avait lancé la mode. On les appelait d'ailleurs les gothvates en son honneur. Il posa le tromblon qu'il était en train de nettoyer et croisa les jambes.

Lili fit une révérence. Son père leva les yeux vers elle et se trémoussa dans son fauteuil. Puis, il détourna le regard pour contempler les portraits accrochés au mur. Lili prit la théière en argent et versa le breuvage ambré dans les tasses. Elle en tendit une à son père et garda l'autre pour elle. Elle s'assit face à lui. Ils restèrent silencieux un moment. Ça ne gênait pas Lili. Elle était très fière d'avoir pour père le poète le plus célèbre d'Angleterre. Elle but une gorgée de thé.

Lord Goth regardait maintenant par la fenêtre qui donnait sur le parc des daims dingues.

Ils broutaient paisiblement dans les derniers rayons du soleil. Il posa sa tasse et leva les yeux vers le plafond.

— Maltravers m'a appris que son piège préféré avait disparu, dit-il de sa voix toujours aussi calme et élégante. Tu ne saurais pas où il est par hasard ?

Lili fixa sa tasse.

— Je n'aime pas Maltravers, réussit-elle à articuler d'une toute petite voix.

— Personne n'aime Maltravers, acquiesça son père, mais il travaille au manoir depuis toujours et j'ai besoin de lui pour organiser la chasse d'intérieur. Donc, je ne veux plus que tu rôdes du côté de la salle de bains de Zeus.

— La salle de bains de Zeus ? répéta Lili, intriguée.

— Dans l'aile brisée, précisa son père. C'était la salle de bains de la troisième lady Goth, et c'est là que Maltravers élève ses faisans…

Il s'interrompit et, pour une fois, ses yeux s'attardèrent quelques secondes sur sa fille.

Il eut l'air infiniment triste. Il se leva brusquement, ramassa le tromblon et se retourna vers la fenêtre.

— Tu as trop de temps libre depuis le départ de Mlle Delacroix, reprit-il. Je pense qu'il est temps que j'engage une nouvelle gouvernante.

Lili soupira.

— Et maintenant, si tu veux bien m'excuser, conclut lord Goth, j'ai un besoin urgent de tirer sur des nains de jardin.

Lili quitta la grande galerie et retourna dans sa chambre, où son souper l'attendait. Elle souleva la cloche d'argent et découvrit un ormwich (un morceau d'ormeau bleu entre deux tranches de pain),

une pomme du jardin des cuisines et un verre
de sirop de sureau.

— Je parie que ça sent bon, fit une petite voix.

Ismaël, la souris fantôme, scintillait faiblement
à ses pieds au milieu du tapis d'Anatolie.

— Mais, ajouta-t-il tristement, maintenant que
je suis un esprit, je n'ai plus d'odorat. Et je n'ai
même plus faim.

— Où est-ce que tu étais ? lui demanda Lili.

Ismaël haussa les épaules.

— Ici et là, répondit-il vaguement. De toute
façon, je reviens toujours dans ta chambre parce
qu'apparemment, tu es la seule à être capable de
me voir et de m'entendre. Je ne sais pas pourquoi
mais il semblerait que je doive te hanter.

— Ça ne me pose pas de problème, sourit Lili, qui
aimait bien cette souris fantôme. Tu peux me hanter
autant que tu le voudras si ça te remonte le moral.

— Tu es très gentille, soupira Ismaël d'un ton lugubre.

Pendant que Lili mangeait, Ismaël lui raconta sa vie. Il avait quitté sa maison natale alors qu'il était encore très jeune pour embarquer sur un navire et avait vécu toutes sortes d'aventures.

— … j'ai sympathisé avec deux perroquets et un toucan, racontait-il quand l'horloge de grand-oncle sonna dix heures.

— Je dois retrouver des amis dans le grenier, s'exclama Lili en se levant pour aller chercher ses chaussons de cuir. Est-ce que tu veux venir avec moi ?

— Oh oui ! s'enthousiasma Ismaël. Et promis, je serai aussi discret qu'une petite souris.

Chapitre cinq

ili gravit les marches sur la pointe des pieds. Elle essayait de ne pas faire de bruit, mais ce n'était pas facile. Plus elle montait, plus les marches craquaient. Quand elle arriva aux abords du grenier, chacun de ses pas produisait un grincement.

— Super ! la félicita Emma Chou quand Lili la rejoignit sur le palier. Je t'ai à peine entendue.

Lili remarqua qu'Emma portait toujours ses mocassins d'Indien. Le mur frémit, et William apparut.

— William, va t'habiller ! se fâcha Emma.

William fila et revint un instant plus tard, vêtu d'une chemise de nuit.

— Suivez-moi, sourit-il.

Ils parcoururent le couloir qui traversait l'aile est.

Lili perçut de légers ronflements.

— Ce sont les filles de cuisine, lui chuchota Emma.
Elles se couchent à huit heures du soir parce
qu'elles se lèvent très tôt.

Elle s'arrêta devant une porte
et frappa doucement. Une jeune
fille coiffée d'une charlotte leur
ouvrit. Quand elle vit Lili, elle
écarquilla les yeux, puis rougit
et fit une révérence.

— Bonsoir mademoiselle,
marmonna-t-elle. Je suis Ruby,
je m'occupe du garde-manger.

Lili sourit et lui tendit la main.

— Appelle-moi Lili. Je suis ravie
de te rencontrer. Tu es la première
servante à m'adresser la parole.

Ruby lui serra timidement
la main.

RUBY, QUI S'OCCUPE
DU GARDE-MANGER

— C'est parce que Mᵐᵉ Fouettard nous interdit de vous parler, murmura-t-elle.

La lèvre tremblante, elle jeta un coup d'œil à William et Emma.

— Je ne vais pas avoir d'ennuis, vous êtes sûrs ?

— Ce qui se passe au club du grenier reste au club du grenier, affirma Emma.

Ils reprirent leur route et tournèrent à un angle vers un passage étroit. Une échelle était posée contre le mur et menait à une trappe. Emma grimpa et se tourna vers Lili.

— Bienvenue au club du grenier, énonça-t-elle solennellement.

Lili monta à son tour, imitée par Ruby et William. Elle se hissa à travers la trappe et se retrouva dans une grande pièce mansardée aux poutres apparentes. De petites fenêtres rondes laissaient passer la pâle lueur de la lune. Au milieu, avait été dressée une table faite de cageots empilés.

Deux garçons un peu plus âgés que William étaient assis sur des sacs de haricots secs qui servaient de fauteuils. Quand ils virent Lili, ils se levèrent précipitamment.

— Ne vous inquiétez pas, les rassura William. Lili veut juste faire partie de notre club. Lili, je te présente Kingsley, le ramoneur, et Arthur Halford, le garçon d'écurie.

Lili avait déjà croisé les garçons d'écurie, mais, comme les filles de cuisine, aucun ne lui avait jamais adressé la parole.

Arthur Halford était plutôt petit. Il avait des lunettes et les cheveux ébouriffés. Il portait une blouse tachée à laquelle étaient attachés des outils. Lili ne put s'empêcher de remarquer la gothvate qui ornait son cou.

ARTHUR HALFORD, LE GARÇON D'ÉCURIE

Kingsley, lui, était grand et mince avec
des cheveux noirs dressés sur la tête.
Les grosses brosses attachées
dans son dos ressemblaient
à des ailes couvertes de suie.
Ses chaussures étaient encore
plus grosses que celles de Lili.

— Avant j'étais juste
l'apprenti, expliqua-t-il à Lili,
mais Van Dyke s'est enfui avec
une de vos gouvernantes, Hebe
Poppins. Depuis, j'ai eu
une promotion.

— Et moi, je m'occupe
de Pégase, le cheval
à roulettes de votre
père, intervint
Arthur qui ne
voulait pas être

KINGSLEY LE RAMONEUR

en reste. C'est moi qui le prépare pour la course de vélos métaphorique.

William, Emma et Ruby allèrent s'asseoir chacun sur un sac de haricots. Arthur et Kingsley en partagèrent un pour laisser le dernier à Lili.

— Je déclare cette réunion du club du grenier ouverte ! lança Emma en tapant sur la table avec la cuillère en bois que Ruby venait de lui donner. Qui veut commencer ?

Arthur et Kingsley se jetèrent ensemble sur la cuillère en bois mais William s'en empara le premier.

— J'ai fait des expériences de camouflage très intéressantes ces derniers temps, annonça-t-il.

Il fit une pause avant d'ajouter :

— Dans la plus vieille partie de cette maison.

— L'aile brisée ! s'exclama Lili.

Emma prit la cuillère des mains de son frère et la lui donna.

— Tu n'as le droit de parler que quand tu as la cuillère, l'informa-t-elle.

Lili acquiesça.

— Il s'agit de l'aile brisée, répéta-t-elle un peu plus calmement avant de rendre la cuillère à William.

— Exactement, confirma le garçon. Il y a deux jours, j'ai suivi Maltravers, le garde-chasse. Il ramassait les souris prises dans ses pièges et remettait du fromage pour en attraper d'autres...

Lili entendit Ismaël s'étrangler à ses pieds mais personne ne sembla remarquer quoi que ce soit.

— Je me doutais qu'il mijotait quelque chose, continua William. Malheureusement, il a disparu derrière une porte avec une grosse poignée en cuivre et a refermé derrière lui. J'ai dû abandonner ma filature.

Lili reprit la cuillère.

— Il est allé dans la salle de bains
de Zeus, dit-elle. C'est là qu'il fait
éclore les œufs de faisans miniatures
pour la chasse d'intérieur de mon père.
Ruby saisit doucement la cuillère.
— Mme Fouettard dit qu'elle
en a assez de Maltravers et de
ses exigences bizarres. D'abord,
il a demandé de l'ormeau bleu pour ses pièges
et ensuite des flocons d'avoine. Après ça a été
du saumon fumé et il prend aussi des carottes
dans le potager.

Emma tendit la main et Ruby lui remit la cuillère.

— Je ne sais pas ce qu'il cache mais
c'est quelque chose qui a bon appétit,
commenta-t-elle. Des flocons d'avoine,
du saumon fumé, des souris mortes…

Lili entendit un sanglot étouffé
sous la table en cageots.

— Je propose que le club du grenier découvre ce que Maltravers élève dans la salle de bains de Zeus, conclut Emma.

Lili hocha la tête et reprit la cuillère.

— À mon avis, on a intérêt à se méfier de Maltravers.

Durant le reste de la réunion, chaque membre exposa ce qu'il avait découvert d'intéressant pendant la semaine qui venait de s'écouler. Kingsley, le ramoneur, était monté sur le toit de l'aile est et avait pu examiner de magnifiques cheminées ornées* qu'il voulait montrer aux autres. Arthur Halford, de son côté, avait fabriqué des harnais pour assurer la sécurité de tous pendant cette périlleuse promenade. Ruby assura qu'elle préparerait tout ce qu'il faut pour un pique-nique de minuit sur les toits et William promit d'apporter le télescope de son père pour qu'ils puissent regarder les étoiles.

Note de pied de page

* Les cheminées ornées du manoir des Frissons frissonnants sont parmi les plus belles du pays. Les plus réputées sont : le Hérisson, le Sucre d'Orge et les six cheminées d'Henry VIII.

Lili resta silencieuse. Tous les membres du club du grenier avaient un talent particulier, sauf elle.

— Et moi, qu'est-ce que je peux faire ? demanda-t-elle.

— Tu as une imagination extraordinaire, la rassura Emma. Je suis sûre que tu vas trouver quelque chose.

À onze heures, Emma posa la cuillère sur la table, et tout le monde alla se coucher.

— C'est quand la prochaine réunion ? demanda Lili avant de rejoindre sa chambre.

— Dans une semaine à la même heure, répondit Emma.

— Mais la chasse d'intérieur a lieu samedi prochain ! paniqua Lili. Dans seulement trois jours !

— Ne t'inquiète pas, nous discuterons de Maltravers demain matin au petit déjeuner, lui promit Emma.

Lili alla se coucher, suivie de la lueur vacillante d'Ismaël. Elle enfila sa chemise de nuit, qui l'attendait sur le divan dalmatien, et bâilla profondément. Puis elle monta dans son grand lit à baldaquin, souffla sa bougie et s'endormit presque aussitôt.

— Quelle drôle de journée! murmura Ismaël dans un petit soupir.

Chapitre six

Lili s'assit dans son lit. Il faisait encore nuit. Le crissement des graviers de la grande allée qui menait au manoir l'avait réveillée. Elle alluma sa chandelle et alla jusqu'à la fenêtre.

Un attelage noir tiré par quatre chevaux noirs aux brides ornées de grandes plumes noires s'était arrêté devant le perron. La porte de la calèche s'ouvrit et une femme en descendit. Elle portait une robe noire, une veste noire, des gants noirs, des chaussures noires et un grand chapeau noir avec une voilette noire. Elle tenait dans une main un grand sac noir à motifs de têtes de mort et dans l'autre un parapluie noir. Lili s'écarta de la fenêtre. Quelques secondes plus tard, elle entendit des coups frappés à la porte. Le gravier crissa de nouveau alors que l'attelage au cocher invisible remontait la grande allée.

La porte s'ouvrit dans un grincement, et Lili entendit la voix sifflante de Maltravers :

— Oui ? C'est pour quoi ?

— Mlle Borgia de l'Agence des gouvernantes paranormales, répondit une jolie voix claire avec un léger accent.

— Entrez, l'invita sèchement Maltravers. Les appartements des gouvernantes sont sous le dôme. Lord Goth n'aime pas être dérangé.

— Je sais, répondit doucement Mlle Borgia. C'est la raison pour laquelle on a fait appel à moi. L'agence est spécialisée dans l'éducation des enfants difficiles.

— Difficile, hmm, c'est le mot, grommela Maltravers. Et vous laissez pas avoir par ses grosses chaussures et ses manières, ajouta-t-il. Cette gamine est sournoise.

Lili frissonna.

Elle se recoucha et dut se rendormir car, quand elle rouvrit les yeux, l'horloge sonnait neuf heures. Elle s'étira et se leva. Dans sa penderie, elle trouva ses vêtements du jeudi — une robe en taffetas vénitien, un manteau ottoman à pompons et une toque en velours rouge. Elle s'apprêtait à enfiler ses grosses chaussures mais elle se ravisa. Retournant dans sa chambre, elle mit ses chaussons de cuir. Elle entrouvrit la porte et jeta un œil dans le couloir. Elle ne vit personne, ni Maltravers, ni la nouvelle gouvernante. Elle sortit sur la pointe des pieds et descendit les marches aussi silencieusement que possible.

Emma et William Chou l'attendaient dans la petite galerie, devant le vaisselier jacobéen.

— Saucisses de gibier avec confiture d'oignons ou harengs panés au porridge et à la sauce framboise ? demanda William en soulevant les cloches argentées et en devenant tour à tour marron, jaune et rose.

— Œufs à la coque et tartines grillées en forme de soldats, répondit Lili.

— C'était délicieux ! déclara Emma quand ils eurent terminé. Décidément, Ruby coupe les tartines comme personne. Tu as remarqué qu'elle choisissait un régiment différent chaque matin ?

Juste à cet instant, William, qui se tenait près de la fenêtre et dont la peau avait pris la teinte des rideaux, laissa tomber sa tartine.

— Regardez ! s'écria-t-il. Le garde-chasse d'intérieur.

Lili et Emma se levèrent pour venir voir.

— Qu'est-ce que le garde-chasse d'intérieur fait à l'extérieur ? s'étonna Emma.

— Je suppose qu'il va dans
la chambre d'été, suggéra Lili.
C'est là qu'il passe tout
son temps libre.

— Suivons-le ! proposa William.
Les trois enfants
descendirent l'escalier
en courant et filèrent
en direction de l'aile est.
Ils traversèrent le salon
égyptien, le salon
précolombien et le salon
chinois, où Charles Chou
travaillait. Ils ne s'arrêtèrent
pas et durent passer par
un certain nombre d'autres
salons dont les meubles
étaient couverts de draps
avant d'atteindre les cuisines.

Dans la réserve, les filles de cuisine époussetaient les bocaux et remplissaient des boîtes avec de la glace qu'elles étaient allées chercher dans la nouvelle glacière. Aucune d'entre elles ne fit attention à Lili, William et Emma.

Dans la pièce à côté, des femmes de chambre en larmes triaient des cuillères en bois et les rangeaient par tailles. Elles aussi étaient trop occupées pour remarquer quoi que ce soit.

Dans la cuisine, Mme Fouettard était assise dans un grand fauteuil à bascule devant un immense fourneau. Elle griffonnait furieusement dans un carnet dont la couverture était tachée de farine et de jaune d'œuf. Son énorme charlotte lui dissimulait les yeux et son tablier était aussi grand qu'une nappe pour une table de vingt-quatre personnes. À sa ceinture, étaient accrochés des ustensiles de cuisine : une poche à douille, un attendrisseur de viande, un fouet et des rouleaux à pâtisserie de différentes tailles.

— Agnès ! Batalle-moi ces œufs ! rugit-elle comme un lion enragé. Maud, hachiquette ce rôti ! Pansy, emmerlifette ces tartes ! Et dépêchez-vous ! Plus vite que ça !

Les filles de cuisine, effrayées, se bousculaient aux fourneaux ou autour de la table couverte de bols, saladiers, moules à gâteaux et verres doseurs.

— Vite ! souffla William. On ne doit pas le laisser prendre trop d'avance.

Lili et Emma se pressèrent à sa suite et débouchèrent dans la réserve. C'était une petite pièce, très haute de plafond. Les étagères contre les murs étaient couvertes de conserves, d'épices, de farine, de sucre et de tas d'autres ingrédients non répertoriés. Des bouquets de sauge, thym, romarin pendaient aux poutres à côté de trompettes à soupe, de trombones à pâtisserie et de flûtes à sorbets.

Assise sur un tabouret haut, Ruby était occupée à couper des radis en forme d'hippocampes pour

décorer le bouillon de Neptune de Mme Fouettard.
Quand elle reconnut Lili, elle rougit.

— Bonjour, mademois… euh, Lili, lança-t-elle.

— Nous suivons Maltravers, lui murmura
Lili. Tes hippocampes sont magnifiques.
Tu es vraiment douée !

Ruby devint encore un peu plus rouge.
La voix de Mme Fouettard retentit dans
la cuisine.

— Nelly ! Neptunise ces crevettes !
MAINTENANT !

William poussa Lili et sa sœur derrière un
tas de haricots d'Espagne et devint tout vert.

— Attention ! Le voilà !

Maltravers avait tourné à l'angle de la
nouvelle glacière et il piétinait les plates-
bandes pour accéder à la chambre d'été.
Mais il ne s'y arrêta pas et continua jusqu'à
la glorieuse gloriette*.

Note de pied de page

* La glorieuse gloriette a été conçue par Métaphore Smith pour ressembler à une ruine de temple grec. Il l'a néanmoins dotée d'un toit en bon état et d'une plomberie dernier cri. Juste à côté, le lac des carpes bavardes n'est qu'un banal bassin dans lequel Métaphore Smith a oublié de mettre des poissons rouges.

Il ouvrit la porte avec une des clés de son trousseau et s'introduisit à l'intérieur. Lili, Emma et William s'approchèrent discrètement du petit édifice et regardèrent par la fenêtre. Maltravers était assis à un bureau, une enveloppe à la main. Il la décacheta lentement à l'aide d'un coupe-papier, en sortit la lettre et la lut. Puis il l'épingla au mur avec une fourchette. Il extirpa ensuite de l'enveloppe un billet de banque plié en deux et l'observa à la lumière. Les enfants purent lire en lettres gothiques les mots : *La Banque de Bavière s'engage à payer cinq livres au porteur de ce billet.*

William, qui avait pris la couleur du marbre, siffla entre ses dents.

— Ouah, ça fait beaucoup d'argent, murmura-t-il.

Maltravers se leva et se dirigea vers le lit. Il se mit à quatre pattes et tira une boîte métallique cachée en dessous. Il la déverrouilla et rangea son billet avec tout un tas d'autres. Il referma la boîte et la repoussa sous le lit. Puis, avec un rire rauque, il s'allongea sur le matelas et ferma les yeux.

La Banque de Bavière s'engage à payer cinq livres au porteur de ce billet.

Cher Monsieur,

J'ai hâte de participer à la fête de lord Goth et j'espère que vous avez terminé tous les préparatifs.

Vous trouverez ci-joint le dernier paiement. Hänsel et Gretel sont impatients de vivre cette grande soirée !

Bien à vous,

Rupert von Hellsung

REVUE
LITTÉRAIRE CRÉTOISE

LA CRÈTE

une île de soleil, de mer et de littérature

PUBLICITÉ

M. OMALOS, faune, est heureux d'annoncer un événement qui se tiendra durant une semaine, si le temps le permet :

DÉGUSTATION
D'UN MINCE EXEMPLAIRE
DE POÉSIE

ainsi que de délicieux recueils de vers non épousetés et reliés cuir pleine fleur.

GALA DE SAUT
D'OBSTACLES
GAZETTE

Hamish, le centaure des Shetland, a réalisé un parcours sans fautes sur le champ de courses des poneys Shetland de l'île de Jura. Parmi les autres concurrents, on a pu assister à l'excellente prestation de Shaggy le poulain et de Jock le bouc. Ils sont arrivés respectivement deuxième et troisième. On déplore cependant un public peu attentif et uniquement composé de pingouins et de fermiers.

Un Minotaure originaire d'Œuf a gagné le premier concours de lancer de tronc jamais organisé à Edimbourg durant le Salon du livre

FABERCROMBIE
ET
ITCH

TISSEURS INTELLECTUELS DE L'OUEST
DE LONDRES PROPOSENT UNE

RÉUNION PUBLIQUE

AFIN DE SOLLICITER LES AVIS divers et l'aide disponible
au sujet de l'habillement des GRANDS SINGES
DE LA JUNGLE BATAVIENNE récemment sauvés
de la cruauté de M. VAN DER HUM, propriétaire
de la ménagerie ambulante Van der Hum, et répondant
aux noms de :

L'HOMME SAUVAGE et LA FEMME
DE PUTNEY   DE BARNES

Les Marins Anciens et Modernes
JOURNAL

DE L'EAU, DE L'EAU PAR TOUT DE L'EAU ET PAS UNE GOUTTE À BOIRE

LES PRODUCTIONS DE
L'OPÉRA EN PLEIN AIR
D'ITHAQUE PRÉSENTENT
L'ODYSSÉE
avec, dans les rôles phares,
la sirène Sesta et les harpies

Tos et ius, secaepratas aritios siminimendam eium esequi ulpa inimetust, tem quia quia
volores serumque parupta siminootior aut doloresUr aditiis itatione pro voluptatur
sum et in praturi tiatia doluptum volloruntem custion seque asi consed que earumquat
omnihillast aceperum rus aut voluptiam audi sit lam et qui at haribus alic tota sed mo ma
nis modist, cusda con con repulae rferore pelignam consed et odia con parciur iscius allgnim
agnatestem que ne vendis ipid quam estrumqui berum fuga. Nem. At latisimiliae nobiscim fuga.
Nequam res se offic tem antis ium fuga. Nequam con perum nobit ad moluptat volumqui ut dolorro
invelen dandianisAd quistis de nis molorem. Ovidelo simsosto eum endi quiat porpos dolorporro il
in re iminus quis endis aut odis aute veruptatquae si vella quis renditi ostium quas et alique is dolor

Traversée d'un mauvais pressentiment, Lili frissonna.

William écrasa le nez contre la vitre et essaya
de lire la lettre punaisée au-dessus du bureau.

> *Cher Monsieur,*
>
> *J'ai hâte de participer à la fête de lord Goth et
> j'espère que vous avez terminé tous les préparatifs.
> Vous trouverez ci-joint le dernier paiement.
> Hänsel et Gretel sont impatients de vivre
> cette grande soirée !*
>
> *Bien à vous,*
>
> *Rupert von Hellsung*

— Qu'est-ce que Maltravers est en train de
mijoter ? marmonna-t-il. De quels préparatifs
s'agit-il, et qui sont Hänsel et Gretel ?

Emma hocha la tête.

— Ça n'augure rien de bon.

— C'est sûr, opina Lili, Maltravers est louche.

Sur le lit, le garde-chasse d'intérieur semblait s'être endormi.

— Toi, tu attends ici au cas où il se réveillerait, demanda Emma à William. Lili et moi allons jeter un œil à cette salle de bains de Zeus. On pourrait y découvrir des indices.

Chapitre sept

ili montra à Emma le passage qui menait à l'aile brisée, derrière la tapisserie de l'entrée.

— Suis-moi, dit-elle.

Les deux jeunes filles descendirent une volée de marches et s'engagèrent dans un étroit couloir sombre. Elles croisèrent de nombreuses portes jusqu'à ce que Lili en entrouvre une.

La pièce ne contenait qu'une armoire remplie de manteaux de fourrure mités.

— J'étais pourtant sûre que c'était par ici, murmura-t-elle.

Soudain, un chant s'éleva. Un chant doux, pur et très beau.

Il semblait venir de derrière une porte à double battant aux poignées de cuivre.

— C'est ici ! s'exclama Lili. La salle de bains de Zeus !

Emma saisit une poignée, Lili l'autre, et ensemble elles tirèrent de toutes leurs forces. La porte s'ouvrit et, immédiatement, le chant s'arrêta.

Au milieu de la salle de bains, un bassin avait été encastré dans le sol. L'eau en était verdâtre. Un rocher émergeait, surmonté d'un nid de brindilles. Sur le nid était posée la créature la plus incroyable et la plus belle que Lili ait jamais vue. Elle avait une tête de femme et le corps d'un énorme oiseau. Ce n'était certes pas un faisan miniature.

LA SIRÈNE SESTA

La femme-oiseau regarda les jeunes filles. Ses yeux avaient la couleur de la mer un jour de tempête et ses longs cheveux, retenus par un serre-tête doré, étaient aussi noirs que le plumage d'un cormoran. Son corps était couvert de plumes vert foncé tandis que sa queue et ses ailes étaient aussi dorées que son serre-tête.

De toutes les étranges rencontres que Lili avait pu faire dans l'aile brisée, celle-ci était sans conteste la plus extraordinaire. Un bruit lui fit tourner la tête. Derrière elle, Emma avait ôté sa boîte de peinture de sur son dos et dépliait son tabouret.

— Bonjour, lança Lili d'une voix claire, je m'appelle Lili et je suis ravie de faire votre connaissance.

La femme-oiseau pencha la tête sur le côté comme une mouette curieuse. Quand elle ouvrit la bouche, Lili aperçut ses dents acérées comme des couteaux.

— Je suis Sesta la sirène, répondit-elle d'une voix musicale, la diva de l'Opéra en plein air d'Ithaque… En réalité, il s'agit plus d'un rocher au milieu de la mer que d'un théâtre, ajouta-t-elle avec un rire cristallin, mais les marins viennent du monde entier pour m'entendre chanter.

— Et… que faites-vous ici ? s'enquit Lili.

Emma avait commencé à peindre, les yeux écarquillés.

— Le célèbre lord Goth m'a invitée, bien sûr ! s'exclama la sirène. Ainsi que mes choristes, Orphée, Eurydice et Perséphone…

LES HARPIES ORPHÉE, EURYDICE ET PERSÉPHONE

Lili avait été si captivée par Sesta qu'elle n'avait pas remarqué la cage à oiseaux qui pendait au plafond. À l'intérieur, trois petites femmes-oiseaux au long nez pointu la dévisageaient.

— Nous sommes enchantées de vous rencontrer, firent-elle en chœur en battant des ailes.

— Regardez, reprit Sesta en farfouillant dans son nid avec ses serres avant de tendre un carton à Lili. Mais ce que je ne comprends pas, poursuivit Sesta,

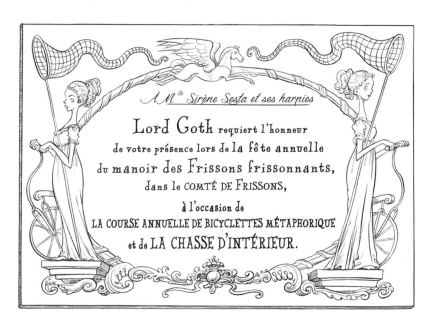

À Mlle Sirène Sesta et ses harpies

Lord Goth requiert l'honneur
de votre présence lors de la fête annuelle
du manoir des Frissons frissonnants,
dans le COMTÉ DE FRISSONS,
à l'occasion de
LA COURSE ANNUELLE DE BICYCLETTES MÉTAPHORIQUE
et de LA CHASSE D'INTÉRIEUR.

c'est ce que nous a fait subir l'employé de lord Goth
à notre arrivée. Regardez !

Elle leva la patte, et Lili découvrit qu'elle était
attachée à une chaîne solidement fixée dans le mur.
Les harpies s'agitèrent dans leur cage, et Lili
remarqua le gros cadenas qui la maintenait fermée.

— L'employé de lord Goth nous a donné
à manger, soupira Sesta, du saumon fumé pour
moi et des souris mortes aux harpies, mais…

Elle étendit ses grandes ailes dorées.

— … nous sommes des artistes, nous ne pouvons
pas vivre comme ça !

Sa voix magnifique résonnait dans la pièce.

— Comme ça, comme ça, comme ça, répétèrent
les harpies dans leur cage.

La sirène posa les yeux sur Emma.

— Vous êtes très belle, se hâta de la complimenter
la jeune fille en mélangeant ses couleurs afin
d'obtenir le magnifique vert de ses plumes.

La sirène prit la pose et plongea son regard dans celui d'Emma.

— Je vois que toi aussi, tu as une âme d'artiste, roucoula-t-elle. Ta peinture doit capturer mon âme… et mes souffrances.

Lili observa l'anneau autour de sa patte.

— Je suis désolée, grimaça-t-elle. Il y a sûrement eu un malentendu. Je vais en informer mon père, lord Goth.

Mais Lili savait très bien que ce n'était pas un malentendu. Maltravers avait invité la sirène et les harpies pour les emprisonner. Elle avait le très mauvais pressentiment de savoir dans quel but…

Elle regarda autour d'elle. Pas de faisan miniature alors que la chasse avait lieu dans moins de deux jours.

— Tu es la fille de lord Goth ! se réjouit Sesta. Je t'aime bien. Tu es très polie. Pas du tout comme cet employé…

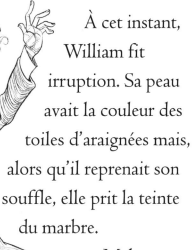

À cet instant, William fit irruption. Sa peau avait la couleur des toiles d'araignées mais, alors qu'il reprenait son souffle, elle prit la teinte du marbre.

— Maltravers, haleta-t-il. Il s'est réveillé ! Il vient par ici !

Emma rangea son attirail de peinture et regarda ses amis.

— Ça n'est pas un problème pour William, qui peut se cacher n'importe où, déclara-t-elle, mais Lili et moi, on ne peut pas rester là !

Lili acquiesça. Son amie avait raison. Déjà, les pas de Maltravers résonnaient dans le couloir.

— Lili ! Emma ! Par ici !

Lili tourna la tête vers la cheminée. Le visage
noir de suie — et à l'envers — de Kingsley
le ramoneur était apparu dans l'âtre.

— Prenez-moi la main !

Lili et Emma se hâtèrent d'obéir. Kingsley était
accroché par les chevilles à une espèce de treuil
qui hissa rapidement les trois jeunes gens dans
le conduit de cheminée. Sur le toit, Arthur les
attendait en souriant, la main toujours sur le levier.
Puis, il aida les filles à sortir et Kingsley
à se détacher.

— Comment
vous trouvez mon
invention ? demanda-
t-il fièrement. J'ai
pris modèle sur
un monte-plats !
Pas mal, non ?

— Un peu trop moderne à mon goût, commenta Kingsley, mais bien pratique quand même pour se sortir en urgence de situations délicates.

Il sourit et Lili rougit.

— William nous avait demandé de nous tenir prêts au cas où vous auriez besoin d'aide, expliqua Arthur. Les membres du club du grenier doivent se serrer les coudes.

Emma épousseta son carton à dessins.

— Merci beaucoup, les garçons. Sans vous, Maltravers nous aurait découvertes. Et je préfère rester loin de ce sale bonhomme ! En tout cas, vous ne devinerez jamais qui nous venons de rencontrer ! La plus belle et la plus étrange des créatures que j'aie jamais…

— En parlant de créatures étranges, l'interrompit Arthur, je suis tombé sur un truc surprenant ce matin dans les dépendances abandonnées derrière l'écurie.

Les deux garçons rangèrent le hisse-cheminée,
et Kingsley, qui connaissait les toits par cœur, prit
la tête du petit groupe. Sans s'arrêter, il désignait
les cheminées ornementales les plus intéressantes.
Après avoir escaladé les ardoises, marché sur les
faîtières et longé les gouttières, ils arrivèrent
à une arche à marches
qui descendait
jusqu'au sol.

— Fais attention de ne pas tomber, souffla Kingsley à Lili, qui rougit une nouvelle fois.

Il repartit de son côté, le pied aussi sûr qu'une chèvre des montagnes. Emma et Lili se donnèrent la main et arrivèrent en bas en un seul morceau.

Arthur et elles étaient au pied de l'aile ouest, non loin des écuries des chevaux à roulettes. C'était en fait un grand bâtiment de pierre qui abritait les ateliers de réparation. Des garçons d'écurie portant la même blouse qu'Arthur travaillaient devant des forges à marteler des roues ou devant des établis à polir des châssis. Les chevaux à roulettes étaient accrochés au mur sur des crochets matelassés.

— Moi, je m'occupe de celui-là ! déclara Arthur en désignant une magnifique bicyclette ornée d'un cheval ailé sur le garde-boue. C'est le cheval à roulettes préféré de lord Goth.

Ils poursuivirent leur route jusqu'à de petits bâtiments aux toits en partie écroulés. Les murs

ne tenaient debout que grâce à des étais et à un échafaudage qui s'appuyait sur un pignon.

— Ce sont les étables instables, précisa Arthur. Presque personne ne vient jamais par ici.

Il ouvrit une porte et les filles rentrèrent à sa suite. Il fallut un moment aux yeux de Lili pour s'habituer à l'obscurité mais, soudain, elle poussa un petit cri de surprise. Deux silhouettes étaient attachées au mur par des chaînes reliées à leurs chevilles. Arthur tendit la main vers elles.

— Je vous présente Hamish, centaure des Shetland*…

Hamish émit un petit grognement et tapa du sabot sur le sol.

— … et M. Omalos, faune des montagnes de Crète.

Le faune posa le recueil de poésie qu'il était occupé à grignoter et adressa un signe de tête aux arrivants.

*Note de pied de page

* Le centaure des Shetland n'est qu'une des nombreuses créatures mythiques vivant en Écosse. On peut également citer le cyclope de Glasgow et les gorgones d'Édimbourg. La sirène cracheuse de feu d'Atroah est quant à elle beaucoup plus difficile à observer.

— Et voilà Lili, la fille de lord Goth, continua Arthur, ainsi que son amie, Emma Chou.

Emma avait déjà sorti ses couleurs et ses pinceaux et commencé à peindre.

— Racontez-leur ce que vous m'avez dit ce matin, demanda Arthur aux deux créatures.

M. Omalos s'éclaircit la gorge.

— Eh bien, je ne suis qu'un humble faune, dit-il d'une voix rauque et néanmoins agréable, mi-bouc, mi-collectionneur de livres. J'apprécie particulièrement les ouvrages anciens. Plus ils sont

poussiéreux, plus je me régale. Mais je ne mange
que les bords, jamais les mots. L'encre est parfois
un peu aigre…

— Ce que mon ami
essaie de vous expliquer,
intervint Hamish avec
un petit hennissement,
c'est que votre père,

HAMISH, LE CENTAURE DES SHETLAND

M. OMALOS, LE FAUNE

lord Goth, nous a invités au manoir. Des cartons nous ont été adressés personnellement, mais une personne, que je ne nommerai pas, les a mangés et…

— Désolé, marmonna M. Omalos.

— Peu importe, reprit Hamish. Le garde-chasse de lord Goth nous a accueillis et amenés dans ces étables où il nous a enchaînés pendant notre sommeil. Et c'est inadmissible, vous m'entendez ! Je n'habite pas dans un hôtel trois étoiles, mais, chez moi, j'ai au moins la place de galoper à mon gré !

Le petit centaure rua et tira sur sa chaîne avant de croiser les bras.

— Je suis vraiment désolée, s'excusa Lili. Lord Goth invite beaucoup de gens et, parfois, il se mélange un peu les pédales.

Elle ne voulait pas effrayer ces pauvres créatures en leur faisant part de ses soupçons à propos de Maltravers et de la chasse d'intérieur.

Hamish secoua ses cheveux-crinière.

— Les flocons d'avoine ne sont pas trop mauvais, concéda-t-il.

— Et les carottes sont délicieuses, ajouta M. Omalos. Quoique peut-être pas tout à fait assez rassises à mon goût...

Quand Emma eut fini sa peinture, les deux amies retournèrent au manoir. Arthur était déjà parti car il avait encore du travail sur Pégase avant la course.

— Tu dois absolument prévenir ton père ! affirma Emma alors que les jeunes filles arrivaient à la terrasse vénitienne.

— Je vais y aller, opina Lili en fronçant les sourcils.

Elle réfléchit un moment et demanda à Emma :

— Est-ce qu'il te resterait une feuille de papier dans ton carton à dessins ?

— Oui, pourquoi ?

— Parce que nous devons absolument faire quelque chose avant que j'aille voir mon père.

Chapitre huit

Tu sais monter aux arbres ? demanda Lili à Emma.

Les deux jeunes filles se trouvaient devant la porte du jardin encore plus secret.

– Oui, répondit Emma avec une petite hésitation.

– Moi, j'adore ça, reprit Lili. Je pense que j'ai hérité du sens de l'équilibre de ma mère. Elle était funambule à Thessalonique.

Elle ouvrit son médaillon et montra à son amie le petit portrait de sa mère.

– Tu lui ressembles comme deux gouttes d'eau ! s'exclama Emma.

Lili sourit et tendit le doigt vers un arbre qui poussait près du haut mur.

– Celui-ci sera parfait, dit-elle. Suis-moi et fais exactement comme moi.

— Je vais essayer, accepta Emma.

Elle avait posé sa boîte à aquarelle
et son carton à dessins pour être plus à
l'aise. Elle avait néanmoins gardé une feuille
pliée dans sa poche et glissé un crayon
derrière l'oreille.

Lili commença son ascension et Emma la suivit
prudemment. Une fois en haut, Lili s'engagea à
quatre pattes sur une grosse branche qui passait
juste au-dessus du mur.

— C'est toujours très amusant
d'escalader un châtaignier,
expliqua-t-elle à Emma,
qui avait un peu le vertige.

Lili écarta les feuilles.

— Regarde.

— Je ne peux pas ! lui répondit Emma.

Les deux jeunes filles surplombaient une petite cour
carrée couverte de galets ronds et lisses. Contrairement
aux autres jardins du manoir, elle était extraordinairement
propre et bien entretenue. En son centre, se dressait une
petite serre en verre et fer forgé. Une pancarte annonçait :
La serre d'harmonie. Lili se pencha et vit qu'elle était
remplie de plantes aux feuilles de couleurs vives.
Certaines donnaient des fruits comme elle n'en avait
jamais vu. Mais elle aperçut aussi autre chose.

— Je crains de ne pas être aussi à l'aise que toi
dans les arbres, Lili, marmonna Emma, dont le teint
avait viré au vert.

LA SERRE
D'HARMONIE

— Est-ce que je peux t'emprunter ton papier et ton crayon, alors ? demanda Lili.

— Si tu peux les attraper toute seule, répondit Emma. Je préfère ne pas lâcher ma branche.

Lili s'exécuta et déplia la feuille. Puis elle se concentra sur la serre d'harmonie et les deux silhouettes qu'elle distinguait à l'intérieur.

C'étaient des grands singes au visage brun et au magnifique pelage orange. Ils étaient habillés à la dernière mode. Lili les dessina du mieux qu'elle put. Elle remettait la feuille pliée dans la poche d'Emma quand elle entendit une clé tourner dans une serrure. Elle s'immobilisa et regarda Maltravers pénétrer dans le jardin encore plus secret en poussant une brouette en bois. Il ouvrit la serre avec une clé de son trousseau.

— L'homme sauvage de Putney et la femme de Barnes, dit-il de sa voix sifflante. Regardez-vous ! Ces tisseurs intellos qui vous ont sauvés avaient un sacré sens de la mode.

Il prit le chapeau haut de forme de l'homme sauvage de Putney et s'en coiffa avant de le jeter dans la brouette.

— Je suis sûr que vous n'étiez pas aussi bien habillés quand ils vous ont trouvés dans ce cirque ambulant.

Il détacha la capeline de la femme de Barnes et tira le châle qui lui couvrait les épaules. Elle leva vers lui des yeux tristes et doux.

— Je suis quand même étonné que les tisseurs vous aient laissés venir,

L'HOMME SAUVAGE DE PUTNEY

commenta Maltravers pensivement en leur prenant
le reste de leurs vêtements.
Mais c'est vrai qu'on ne
refuse pas une invitation
personnelle de lord Goth.
Il prit un carton dans la
poche du gilet de l'homme
sauvage de Putney et le glissa
dans la poche de sa veste.

LA FEMME DE BARNES

Puis, il sortit du jardin et referma la porte derrière lui.

Lili attendit d'être sûre qu'il était bien parti avant de faire demi-tour. Elle dut un peu aider Emma.

Une fois au sol, Lili montra son dessin à son amie.

— J'étais sûre que Maltravers avait enfermé d'autres créatures dans le jardin encore plus secret, triompha-t-elle. Et, si j'ai raison, il veut se servir d'elles pour la chasse de samedi.

— Ton dessin est très chouette, la félicita Emma en le rangeant dans son carton. Surtout si on prend en compte que tu étais perchée sur une branche. Mais maintenant tu dois te dépêcher d'aller prévenir ton père.

Les deux jeunes filles retrouvèrent William sur la terrasse vénitienne, occupé à regarder par les vitres byzantines. Il avait la couleur du stuc.

— J'ai suivi Maltravers toute la journée, annonça-t-il. J'ai essayé de lui voler ses clés mais il les garde toujours bien attachées à la ceinture. Il a cueilli des carottes dans le potager et il est allé dans un jardin secret. Ce qui est bizarre, c'est que, quand il est revenu, sa brouette était pleine de vêtements. Quand je l'ai quitté, il était en train de soulever des lames de plancher dans une pièce vide de l'aile brisée. Je me demande vraiment ce qu'il fabrique.

— Habille-toi, soupira sa sœur, et on va te raconter.

Juste à ce moment, une détonation retentit et les fit sursauter. Lord Goth chevauchait Pégase, son tromblon fumant sous le bras. Derrière lui, un bon nombre de nains de jardin avaient perdu la tête. En tournant à l'angle de la rocaille, lord Goth prit

de la vitesse et fila jusque devant le perron
en faisant crisser les roulettes sur le gravier.
Il sauta à bas de sa monture et la laissa
tomber.

— Si je me dépêche, je peux l'intercepter
à la porte de son bureau ! s'écria Lili en
se mettant à courir. On se voit demain
au petit déjeuner !

Elle monta les marches quatre à quatre et
passa devant l'armure du premier lord Goth*.

Son père arrivait face à elle. Elle s'arrêta
brusquement en voyant l'expression sur
son visage. Il affichait un mélange de choc,

Note
de pied
de page

* Cette armure
a été fabriquée
spécifiquement
pour le premier
lord Goth par
son forgeron.
Les deux
casques sont
des leurres
destinés
à tromper
un ennemi
désireux de
le décapiter.

de surprise et de tristesse. Puis il baissa
les yeux vers les pieds de sa fille et fronça
les sourcils.

— Père ! tenta Lili. Je suis
désolée de te déranger,
mais il faut absolument
que je te parle de…

— Lili ! gronda lord Goth
de sa voix toujours aussi
élégante. Tu me déçois
beaucoup.

— Mais, père, protesta
Lili, Maltravers…

— Lili ! l'interrompit
son père. Tu sais que
je pense que les enfants
doivent être entendus avant
d'être vus !

— Je sais, père, mais…

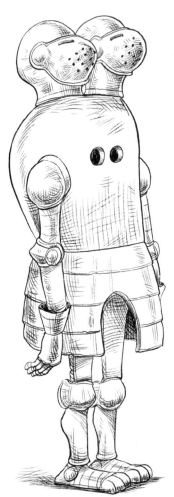

— Et pourtant, reprit lord Goth, je ne t'ai pas entendue. Parce que tu ne portes pas les chaussures que je t'ai données.

— Je sais, père, je suis désolée, j'ai oublié, mais…

— Oublié ? répéta lord Goth en posant la main sur la poignée de la porte de son bureau. Oublié ? Est-ce que tu te fiches complètement de mes règles ? La prochaine fois, tu me raconteras que tu es allée te promener sur le toit !

Lili rougit et baissa les yeux. Lord Goth ouvrit la porte.

— Quoi que tu aies à me dire, conclut-il, ça devra attendre mercredi prochain à l'heure du thé dans la grande galerie.

Il entra dans son bureau et referma derrière lui.

Lili retourna à pas lents dans sa chambre.

La semaine prochaine, il serait trop tard.

Elle pensa aux pauvres créatures que Maltravers avait emprisonnées : la sirène Sesta et ses harpies, M. Omalos et Hamish, l'homme sauvage et sa femme. Tous étaient à la merci du garde-chasse d'intérieur qui avait l'intention de les transformer en gibier.

Et pendant ce temps-là, ce dernier se prélassait dans sa chambre de la glorieuse gloriette et entassait des billets dans une caisse sous son lit… Et il y avait aussi cette lettre…

*Hänsel et Gretel sont impatients
de vivre cette grande soirée !
Bien à vous,*

Rupert von Hellsung

Lili frissonna. Hänsel et Gretel. Quoi que Maltravers ait prévu, la chasse d'intérieur réserverait quelques surprises. Et sûrement pas des bonnes.

Elle arrivait au pied de l'escalier monumental quand une silhouette sombre se laissa glisser sur la rampe.

— Mademoiselle Goth, fit une voix claire avec un léger accent, nous nous rencontrons enfin.

Chapitre neuf

La silhouette sombre sauta élégamment de la rampe et s'approcha de Lili. La jeune fille serra poliment sa main blanche et glaciale.

— Je suis ravie de vous rencontrer, dit-elle.

— Tu peux m'appeler Lucy, sourit la gouvernante. J'aimerais que nous soyons amies.

Lili lui adressa un sourire incertain en se demandant combien de temps cette gouvernante resterait au manoir des Frissons frissonnants.

LUCY BORGIA

— Allons jusqu'à la salle d'étude, suggéra Lucy. Nous pourrons ainsi faire connaissance.

— Est-ce qu'il n'est pas un peu tard ? s'étonna Lili.

Le soleil se couchait et le soir tombait doucement sur le domaine.

— Il n'est jamais trop tard pour faire connaissance, répliqua Lucy en s'asseyant de nouveau sur la rampe.

Elle tendit la main à Lili, qui s'assit derrière elle.

— Et puis, ajouta la gouvernante, quand tu me connaîtras mieux, tu verras que je suis plutôt… nocturne.

Elle donna deux petits coups sur la rampe avec son parapluie, et Lili et elle se mirent à glisser en remontant le long de la rampe.

— Comment vous faites ça ? s'émerveilla Lili.

— Un vieux truc de gouvernante, répondit Lucy avec un sourire énigmatique qui rappela à Lili un tableau qu'elle avait vu dans un livre.

MONA LUCY

Je suis une très vieille gouvernante.

— Ah bon ? fit Lili, intriguée.

Elles sautèrent toutes deux de la rampe et se dirigèrent vers la salle d'étude.

— Oui, acquiesça Lucy, j'ai plus de trois cents ans.

La salle d'étude se trouvait sous le dôme du manoir. C'était une grande pièce circulaire dont le plafond était peint de bébés joufflus avec des ailes et de femmes potelées avec des robes vaporeuses. Il y avait aussi un homme aux sourcils froncés qui semblait chasser un cygne. Le pupitre de Lili et le bureau de la gouvernante étaient assez éloignés, mais le son portait si bien qu'il suffisait de murmurer pour s'entendre.

Cependant, Lucy ne s'arrêta pas là. Elle ouvrit une petite porte qui donnait sur un escalier en colimaçon. Lili monta à sa suite. La gouvernante s'apprêtait à la faire entrer dans sa chambre quand un daim dingue à la mine hallucinée apparut et descendit les marches en faisant claquer ses sabots. Lucy et Lili durent s'effacer pour le laisser passer.

— Je t'en prie, entre et mets-toi à l'aise, dit Lucy en entrant.

Lili s'assit sur une chaise à côté d'une coiffeuse dont le miroir était recouvert d'un tissu noir. Près d'une épingle à chapeau, il y avait aussi un verre de ce qui ressemblait à du sang.

Lucy prit place sur son lit. Lili reconnut à ses pieds le grand sac à têtes de mort qu'elle portait en arrivant.

— Je crois que je te dois quelques explications, commença Lucy.

La pleine lune s'était levée et baignait le manoir des Frissons frissonnants de sa lumière argentée.

— Vois-tu, je suis une vampire.

Bien qu'elle ne soit pas très sûre de ce qu'était un vampire, Lili acquiesça.

— Autrefois, j'étais une princesse italienne et je vivais dans la ville magnifique de Cortone. Je passais beaucoup de temps sur mon balcon à broder ou à raccommoder des collants pendant que des garçons jouaient du luth pour me faire la cour. De temps en temps, l'un d'entre eux montait me retrouver et abîmait ses collants pendant l'escalade. Je me sentais alors obligée de les lui raccommoder.

Les yeux de Lucy se perdirent un moment dans le vague et elle soupira.

— C'était des jours heureux. Mais… un jour, un jeune et beau Hongrois vint rendre visite à mon père. Il apportait avec lui un étrange instrument. Il en jouait avec un archet en crin de cheval et en sortait un son qui ressemblait au miaulement d'un chat. Je reconnais que j'ai été subjuguée par cet homme. Par une nuit de pleine lune, semblable à celle-ci, le comte Vlad est venu jouer de son étrange instrument au pied de mon balcon et je l'ai laissé monter. J'étais jeune et inconsciente. Lui, il portait des collants en cotte de mailles que je n'ai pas eu besoin de raccommoder.

En le laissant me prendre dans ses bras,
j'ai commis l'erreur fatale. Car le comte
Vlad était un vampire*. Au lieu de m'embrasser,
il m'a mordue et m'a transformée à mon tour
en vampire.

— Ça vous a fait mal ? grimaça Lili.

— Non, pas vraiment, répondit la gouvernante. Ça
m'a plutôt chatouillée. Mais c'était peut-être à cause
de ses moustaches. Enfin, j'étais tellement en colère
que je l'ai poussé. Il est tombé du balcon et s'est
empalé sur le tuteur des rosiers. Il s'est aussitôt
transformé en nuage de poussière. Ensuite,
j'ai découvert combien il était difficile d'être
vampire. On ne peut pas sortir en plein
jour, on ne peut boire que du sang, on
doit porter du noir tout le temps…

— Le noir vous va bien,
intervint Lili pour la
réconforter.

Être un vampire ne lui paraissait effectivement pas très agréable, même si Lucy Borgia en parlait très simplement.

— Merci, sourit la vampire. Cependant, je ne pouvais me résoudre à boire du sang humain, alors je me nourris uniquement d'animaux. Je ne leur fais bien sûr aucun mal, se hâta-t-elle de préciser. D'ailleurs, pourrais-tu me passer le verre derrière toi ?

— Bien sûr, opina Lili en s'exécutant.

Lucy but une gorgée et ferma les yeux.

— Le sang de daim dingue est délicieux ! déclara-t-elle en

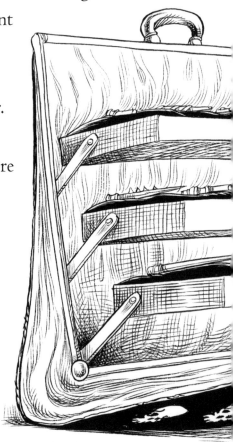

reposant le verre avant d'ôter ses chaussures. Enfin, j'ai pris un siècle pour me promener et réfléchir à ce que je voulais faire de ma vie. J'ai opté pour l'enseignement. Je suis donc devenue gouvernante. Une gouvernante de combat, très exactement.

— Une gouvernante de combat ? s'exclama Lili, qui trouvait ça beaucoup plus excitant que d'être un vampire de trois cents ans.

— Regarde, je te montre, proposa Lucy en se levant pour ouvrir son sac.

Plusieurs étages de plateaux se déplièrent, comme l'intérieur d'une boîte à bijoux. Des sortes de piques reposaient sur de petits coussins de velours. Lucy ôta la pointe de son parapluie et la remplaça par une de ces piques.

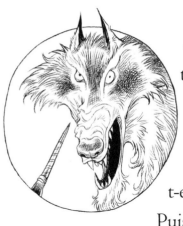

— Pointe d'argent, annonça-t-elle. Parfaite pour combattre les loups-garous.

Elle en prit une autre.

— Bronze poli, continua-t-elle. Idéale contre un minotaure.

Puis une autre.

— Améthyste antique, pour les pharaons momifiés. Et ici, ma préférée...

Elle choisit une longue pointe et la fixa à l'extrémité de son parapluie.

— Bois flotté taillé pour terrasser les pirates-vampires !

Lucy, sur la pointe des pieds, une main sur la hanche, tendait son parapluie comme une épée.

— Avec le bon parapluie, reprit-elle, tu peux affronter n'importe quelle menace et…

Elle ouvrit le parapluie d'un geste du poignet.

— … rester sèche en même temps.

Lili n'en croyait pas ses yeux.

— Et… vous n'auriez pas quelque chose pour les gardes-chasse d'intérieur, par hasard ?

Chapitre dix

Lili raconta à Lucy Borgia tout ce qu'elle avait découvert sur Maltravers. Elle retourna dans sa chambre, le cœur beaucoup plus léger.

Elle se coucha et s'apprêtait à éteindre sa bougie quand elle entendit un soupir familier. Ismaël, la souris fantôme, scintillait faiblement au milieu du tapis anatolien.

— Ça n'est pas très amusant, se plaignit-il, de se promener sans but et d'apparaître inopinément au milieu de la nuit. Je n'arrive pas bien à contrôler mes déplacements.

— Mon pauvre, compatit Lili.

Elle se sentait coupable, car elle n'avait pas pensé une seule fois à lui de toute la journée.

Ismaël haussa les épaules.

— J'étais une souris très active de mon vivant. Ça ne me convient pas d'être un esprit qui flotte à droite à gauche...

Il vola jusqu'au lit et s'assit à côté de Lili.

— Ce soir, reprit-il tristement, le coucher de soleil était magnifique, et j'ai eu envie de sortir pour en profiter...

— Pourquoi ne l'as-tu pas fait? demanda Lili.

— Je n'y suis pas arrivé. C'était comme si quelque chose me retenait entre ces murs.

— Si tu me racontais une histoire? proposa Lili.

Quand il racontait des histoires, Ismaël avait l'air plus heureux et il devenait un peu moins transparent.

— D'accord. Je pourrais te raconter mon voyage chez les insectes lilliputiens...

Lili posa la tête sur son oreiller et ferma les yeux.

Quand elle se réveilla, le soleil brillait dans sa chambre, et l'horloge de grand-oncle sur sa cheminée indiquait huit heures et demie. Elle se leva et se rendit dans sa penderie. Sa tenue du vendredi était composée d'un chapeau de paille du Somerset, d'un châle du Wessex et d'une robe brodée du Norfolk. Elle enfila ses grosses chaussures pour être sûre de ne pas fâcher son père une nouvelle fois. Puis, elle alla rejoindre Emma et William dans la petite galerie.

— Il n'y a ni œufs à la coque, ni tartines en forme de soldats, annonça William en admirant les fleurs brodées sur la robe de Lili. Mme Fouettard a mis tout le monde à contribution pour la préparation du grand dîner de ce soir.

Lili hocha la tête et ignora le plat de hareng en marmelade.

— C'est justement de ça que je voulais vous parler, dit-elle. Ma nouvelle gouvernante…

— Tu as une nouvelle gouvernante ? s'exclama Emma. Ça veut dire que tu ne vas plus pouvoir passer du temps avec nous ?

— Ne t'inquiète pas, la rassura Lili en lui prenant la main. Lucy ne me donnera des cours qu'à la nuit tombée. Nous aurons toutes les journées pour nous.

— Est-ce que tu as parlé à ton père de Maltravers et des pauvres créatures emprisonnées ? lui demanda Emma.

— J'ai essayé, soupira Lili, mais il n'a pas voulu m'écouter. Les invités pour la course de vélos et la chasse d'intérieur arrivent ce soir. Mais, heureusement, Lucy m'a promis de lui parler durant le dîner. Elle pense comme nous que Maltravers est cruel et malhonnête. Elle n'a pas du tout peur de lui. En fait, c'est une gouvernante de combat, alors…

— Une gouvernante de combat ? répéta William, impressionné. Qu'est-ce que c'est ?

Tout en mangeant des tartines de laitue froide, Lili raconta à ses amis ce que Lucy lui avait expliqué. Quand elle eut terminé, Emma referma son carton à dessins. Pendant que son amie parlait, elle en avait profité pour regarder de nouveau les peintures qu'elle avait faites de Sesta, des harpies, de M. Omalos, d'Hamish, de l'homme sauvage de Putney et de la femme de Barnes.

— Je suis soulagée, déclara-t-elle. Je pense qu'une sirène ne devrait pas être utilisée comme cible lors d'une chasse d'intérieur, même si on la relâche après ! Et ça vaut bien sûr pour les autres.

L'homme sauvage
de Putney

La femme
de Barnes

Merci Lili

E. Chou

M. Omalos

E. Chou

Sesta

Les harpies

E. Chou

Hamish

E. Chou

* Au départ, la fontaine trop décorée représentait un simple cheval, mais chaque sculpteur en visite au manoir y a ajouté une œuvre de son cru, chacun essayant de rivaliser avec le précédent. Finalement, cette compétition dut cesser quand la fontaine commença à prendre tellement de place qu'il n'y en avait plus pour faire couler de l'eau.

— C'est tout à fait l'avis de Lucy, opina Lili. Et je suis sûre que mon père va l'écouter parce qu'elle est une grande personne.

— Une grande personne de trois cents ans, approuva William en prenant la teinte verte de sa tartine. Dis, Lili, mercredi, au club du grenier, tu nous montreras ce qu'elle t'a appris ? Le combat au parapluie, ça a l'air trop bien ! Et très pratique quand il pleut !

Rassurés, les enfants passèrent la journée à jouer aux boules d'intérieur dans la grande galerie et aux quilles sur la terrasse vénitienne, à peindre des paysages dans le parc des daims dingues et à faire voguer des bateaux de papier dans la fontaine trop décorée*.

Ils prirent soin d'éviter toute rencontre avec Maltravers. Lili ne voulait surtout pas que le garde-chasse se doute de ce qui l'attendait au dîner.

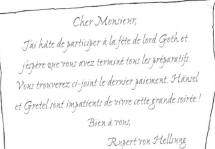

Cher Monsieur,

J'ai hâte de participer à la fête de lord Goth et j'espère que vous avez terminé tous les préparatifs. Vous trouverez ci-joint le dernier paiement. Hänsel et Gretel sont impatients de vivre cette grande soirée !

Bien à vous,

Rupert von Hellsing

FABERCROMBIE
ET
ITCH

TISSEURS INTELLECTUELS DE L'OUEST
DE LONDRES PROPOSENT UNE
RÉUNION PUBLIQUE

AFIN DE SOLLICITER LES AVIS divers et l'aide disponible au sujet de l'habillement des GRANDS SINGES DE LA JUNGLE BATAVIENNE récemment sauvés de la cruauté de M. VAN DER HUM, propriétaire de la ménagerie ambulante Van der Hum, et répondant aux noms de :

ME SAUVAGE et   LA FEMME
PUTNEY   DE BARNES

GALA DE SAUT
D'OBSTACLES
GAZETTE

Hamish, le centaure des Shetland, a réalisé un parcours sans fautes sur le champ de courses des poneys Shetland de l'île de Jura. Parmi les autres concurrents, on a pu assister à l'excellente prestation de Shaggy le poulain et de Jock le bouc... ils sont arrivés respectivement deu troisième. On déplore cepe public peu attentif et uni composé de pingouins et de f

Un Minotaure originaire a gagné le premier conc lancer de tronc jamais or Édimbourg durant le Salon

REVUE
LITTÉRAIRE CRÉTOISE

LA CRÈTE

une île de soleil, de mer et de littérature

PUBLICITÉ

M. OMALOS, faune, est heureux d'annoncer un événement qui se tiendra durant une semaine, si le temps le permet :
DÉGUSTATION
D'UN MINCE EXEMPLAIRE
DE POÉSIE
ainsi que de délicieux recueils de vers non époussetés et reliés cuir pleine fleur.

Les Marins Anciens et Modernes
JOURNAL

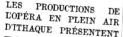

DE L'EAU, DE L'EAU PAR TOUT DE L'EAU ET PAS UNE GOUTTE À BOIRE

LES PRODUCTIONS DE L'OPÉRA EN PLEIN AIR D'ITHAQUE PRÉSENTENT
L'ODYSSÉE
avec, dans les rôles phares, la sirène Sesta et les harpies

Elle était certaine que lord Goth serait très
en colère en découvrant les agissements
de son employé. William avait récolté toutes
les preuves nécessaires.

— Il va avoir des problèmes, lança le garçon alors
que son bateau en papier coulait pour la troisième
fois. Il a dû organiser cette chasse pour se faire
bien voir.

— Il a voulu frimer, c'est tout, trancha Emma.

— Je n'en suis pas si sûre, hésita Lili en pensant
aux billets de banque cachés sous le lit. Mais le plus
important, c'est que mon père mette un terme
à tout ça. Après tout, si les gens apprenaient
que ses invités sont enchaînés, plus personne
ne voudrait mettre les pieds au manoir.

Juste à ce moment, toute une file d'attelages
franchit la grille et remonta l'allée de graviers.

— En parlant d'invités… commenta William en
prenant la couleur de la sirène sculptée de la fontaine.

Les calèches passèrent devant la fontaine trop décorée et s'arrêtèrent en face du perron. Les portes du manoir s'ouvrirent, et lord Goth apparut, suivi de Maltravers.

De la première voiture, un élégant landau décapotable, descendirent lady George, duchesse du Devon, et son compagnon, Tristram Shandydoigts. C'étaient les plus vieux amis de lord Goth et ils venaient à sa fête tous les ans. Le père de Lili les accueillit chaleureusement et les fit entrer avec leurs trois dalmatiens.

LA DUCHESSE DU DEVON   TRISTRAM SHANDYDOIGTS

Dans la deuxième voiture, un buggy un peu bancal, se disputaient les poètes Mouillebridge et O'Quincy. Ils n'étaient jamais d'accord mais n'auraient raté une des fêtes de lord Goth pour rien au monde.

La troisième voiture, un grand chariot en planches tiré par deux chevaux de trait, était conduite par le Dʳ Jensen, l'homme le plus intelligent d'Angleterre, accompagné de son biographe, MacDuff. Lili n'avait jamais entendu le Dʳ Jensen prononcer un mot. Il portait des lunettes noires et un pantalon écossais. MacDuff était très maigre et parlait pour deux.

LES POÈTES MOUILLEBRIDGE
ET O'QUINCY

Il avait toujours un club de golf avec lui afin de chasser les écureuils dont il avait une peur bleue.

Le Dr Jensen descendit non sans mal de son chariot, brossa la paille accrochée à son pantalon et serra silencieusement la main de lord Goth. MacDuff l'imita et fit part à lord Goth d'une réflexion très intelligente que venait de lui souffler Jensen. Quand ils furent entrés, lord Goth alla accueillir les arrivants suivants. Martin Puzzlewit, le célèbre caricaturiste, conduisait une

DR JENSEN & MACDUFF

minuscule carriole attelée à un âne. Il avait
les cheveux blancs et semblait froncer les sourcils
en permanence. Il ne quittait jamais ses
gants de boxe, même quand
il dessinait, afin d'être toujours
prêt à se battre. Heureusement,
il ne s'en servait jamais car,
comme personne ne comprenait
ses illustrations, personne
ne pouvait s'en offusquer. Lord
Goth essaya de lui serrer la main
mais n'y parvint pas et se résolut
à lui tapoter le dos.

La dernière voiture, un
magnifique carrosse bavarois
orné de bois de cerf à l'avant et à
l'arrière, était tirée par six poneys
de parade autrichiens en livrée
pourpre. Quand la portière

MARTIN
PUZZLEWIT,
LE CÉLÈBRE
CARICATURISTE

s'ouvrit, des marches recouvertes de velours écarlate descendirent jusqu'au sol. Un bras fin se tendit, et lord Goth prit galamment la main gantée de noir dans la sienne. Il se courba et y déposa un baiser, ce qui provoqua un bref rire cristallin à l'intérieur du carrosse. Puis une jeune femme mince et élégante fit son apparition. Elle portait une veste noire, une fraise autour du cou et une jupe rayée.

— Mary Shelleyzautres, romancière, se présenta-t-elle. Je suis ravie de faire votre connaissance, lord Goth. Je suis une grande admiratrice de vos vers.

Lord Goth se courba une nouvelle fois.

— Tout le plaisir est pour moi, répondit-il de sa belle voix.

MARY
SHELLEYZAUTRES,
ROMANCIÈRE

Mary Shelleyzautres lui offrit le livre qu'elle tenait à la main.

— C'est un exemplaire de mon meilleur roman, minauda-t-elle. *Le Monstre ou Prométhée fait des bêtises.* Peut-être en avez-vous entendu parler ?

Avant même que lord Goth ait le temps d'ouvrir la bouche, un immense oiseau blanc fondit sur le livre et l'arracha des mains de Mary Shelleyzautres. Puis, il s'envola à tire-d'aile et disparut derrière les toits.

— Vous m'aviez prévenu que votre roman était populaire, fit une voix grave à l'intérieur du carrosse. J'ignorais que ce fût à ce point !

Une haute silhouette coiffée d'un chapeau à larges bords et enveloppée dans une cape en peau d'ours émergea de la voiture. L'homme avait des yeux bleus glacials et une longue moustache taillée en pointe.

Mary Shelleyzautres rougit et émit un nouveau rire cristallin.

— Je vous présente Rupert von Hellsung, lança-t-elle en papillotant des paupières. Mon attelage a eu une avarie à quelques kilomètres du manoir, et Herr von Hellsung m'a secourue. Imaginez notre surprise et notre ravissement quand nous avons compris que nous étions tous les deux vos hôtes, lord Goth.

Lord Goth haussa un sourcil, et Lili sut qu'il n'avait aucun souvenir d'avoir invité ce Rupert von Hellsung. Mais il était trop poli pour en faire la remarque.

Maltravers s'approcha.

– Il me semble que Herr von Hellsung est le champion de cheval à roulettes de Munich, Votre Seigneurie, intervint-il de sa voix sifflante.

Lord Goth sourit et serra la main de Hellsung.

– Ah oui ? Eh bien, soyez le bienvenu au manoir des Frissons frissonnants, mon cher. Le dîner sera servi à huit heures.

RUPERT VON HELLSUNG

Chapitre onze

Lili monta dans sa chambre en faisant le plus de bruit possible. Elle espérait que son père l'entendrait car elle avait détesté le décevoir la veille. Mais ça n'arriverait plus, se rassura-t-elle. Lucy Borgia s'en assurerait. Lili ne la connaissait pas depuis longtemps, mais elle était déjà presque sûre que Lucy serait la meilleure gouvernante qu'elle ait jamais eue.

Pendant le dîner, Lili était censée rester silencieuse et écouter la brillante conversation des invités de son père. Aucun d'entre eux ne lui avait encore adressé la parole car elle n'était qu'une enfant et qu'un enfant n'a forcément rien d'intéressant à raconter. De toute façon, ils seraient bien trop occupés à discuter entre eux.

Lili regrettait qu'Emma et William n'aient pas été invités eux aussi.

Elle trouva ses vêtements du vendredi soir sur le divan dalmatien de sa penderie : une robe du soir bleu nuit, de longs gants brodés d'étoiles, une tiare surmontée d'un croissant de lune, lui-même orné d'une plume de cygne et, à la place de ses grosses chaussures, une paire de ballerines à talon. Tous les ans, pour ce dîner, elle était autorisée à porter des chaussures moins bruyantes.

Lili s'habilla en souriant. Elle tourna sur elle-même devant le grand miroir, et un grognement satisfait s'échappa des profondeurs du placard. Lili exécuta une petite révérence et descendit dîner.

La salle à manger du manoir des Frissons frissonnants se trouvait dans l'aile est et donnait sur le parc des daims dingues. Un viaduc d'intérieur reliait un passe-plat corinthien à la grande table au centre de la pièce. Les plats venaient et repartaient en suivant les rails grâce à une machine à vapeur appelée le petit train des sauces *. Lors des grands dîners, il s'arrêtait devant chaque invité qui pouvait ainsi choisir ce qui lui faisait envie parmi les préparations hautement culinaires de Mme Fouettard. Ensuite, il retournait dans la cuisine où les filles de cuisine le chargeaient des plats suivants.

Quand Lili entra, le petit train des sauces sifflait dans la cuisine, et les invités s'apprêtaient à prendre place.

Le Dr Jensen jetait des petits pains à Martin Puzzlewit qui les renvoyait à coups de poing agacés. Au bout de la table, lord Goth souriait tranquillement. Il tira sur le cordon qui pendait à côté de sa chaise, et, un instant plus tard, le petit train des sauces, qui avait été créé pour lord Goth par le fils d'un ingénieur du nom de Stephenson,

Note de pied de page

* Le petit train des sauces est une version miniature du célèbre train de crudités qui a été utilisé pour transporter des carottes et des choux du Norfolk à Londres. Il a hélas heurté l'express Mayonnaise aux abords de la ville de Vinaigrette.

faisait son entrée par le passe-plat corinthien.
Il bringuebala sur le viaduc d'intérieur et prit
un virage avant de passer devant Lili. Les invités
se servirent chacun leur tour.

Puis la machine à vapeur reprit sa route
en lâchant de petits nuages de fumée, traversa
le passe-plat corinthien et disparut. On n'entendait
presque plus son tchou-tchou
quand, avec un
sifflement
joyeux, elle
réapparut
par la petite
trappe, ses
wagons
remplis
de nouvaux
plats cuits
à la vapeur.

Le Dr Jensen envoya une part de flan au canard et à la rhubarbe à la tête de Martin Puzzlewit.

– Comme le souligne le Dr Jensen, quand un homme est fatigué de jeter du flan au canard et à la rhubarbe, il est fatigué de la vie, commenta MacDuff alors que le caricaturiste lui montrait le poing.

– Je ne suis peut-être pas très fort pour dessiner les mains, grogna-t-il, mais je sais parfaitement dessiner de gros nez !

Lili soupira. C'était typique des dîners de lord Goth. Tout le monde se jetait de la nourriture et parlait sans écouter les autres.

Le soleil venait de se coucher et déjà la pleine lune éclairait le parc des daims dingues. Où était Lucy Borgia ? se demanda Lili, inquiète.

La duchesse du Devon racontait à lord Goth que son dalmatien obèse utilisait son attelage pour chasser les chats. Lord Goth semblait s'ennuyer à cent sous de l'heure.

Soudain la porte s'ouvrit.

Le Dr Jensen jetait des cuillerées de mousse de pommes au bacon sur Martin Puzzlewit, MacDuff répétait à Mary Shelleyzautres et à Tristram

Shandydoigts ce que le Dr Jensen avait dit à propos des homards et le petit train des sauces revenait en sifflant. Aucun des invités n'accorda la moindre attention à la femme au teint pâle et à la robe noire qui faisait son entrée.

— Lord Goth, commença Lucy Borgia, je dois absolument vous informer…

À cet instant, Martin Puzzlewit projeta le poing vers le Dr Jensen et renversa au passage la cocotte d'escargots, éclaboussant tous les invités de beurre à l'ail brûlant.

Lucy ne fut pas épargnée et, sous les yeux éberlués de Lili, elle se recroquevilla en poussant un cri déchirant :

— Nooooooon !

Le silence se fit autour de la table. Puis MacDuff s'essuya le visage avec une serviette et déclara :

— Comme le soulignait le Dr Jensen, un homme fatigué de jeter du beurre à l'ail est un homme fatigué de la vie.

Chapitre douze

ersonne ne vit Lili quitter la salle à manger. Ils étaient tous bien trop occupés à se jeter de la nourriture et à se disputer.

Les talons cliquetants, elle gravit l'escalier monumental quatre à quatre.

Dans sa chambre, Lucy Borgia, en chemise de nuit noire, était étendue sur son lit.

— Je suis désolée, Lili, je… je n'ai pas pu… l'ail est un poison pour les vampires.

— Ce n'est pas votre faute, la rassura Lili, vous avez fait de votre mieux.

— S'il te plaît, demanda faiblement Lucy en désignant sa robe chiffonnée dans un coin, emmène ça ailleurs. Cette odeur…

Elle frissonna.

— Heureusement, mon parapluie n'a pas été touché !

Elle ferma les yeux.

— Maintenant, si je veux retrouver mes forces, je dois me reposer, souffla-t-elle. Je crains que tu ne doives arrêter Maltravers et sauver ces pauvres créatures sans moi.

Lili descendit l'escalier en se laissant glisser sur la rampe. Arrivée devant sa chambre, elle aperçut une petite lumière familière.

— Ismaël ! s'exclama-t-elle en remarquant que la petite souris fantôme était de plus en plus transparente. Tu as un problème ?

Les moustaches d'Ismaël tremblaient.

— Je reviens de l'aile brisée, et j'ai entendu Maltravers parler avec un des invités de ton père.

— Lequel ?

— Il a de petits yeux cruels, une moustache pointue, un grand menton…

— Hellsung ! s'exclama Lili.

Les deux amis entrèrent dans la chambre et Lili referma la porte.

— Ils ont tout prévu pour demain soir, reprit Ismaël. La chasse se déroulera sur les toits !

Lili fronça les sourcils, perplexe.

— Les toits ? Mais mon père n'est plus monté sur les toits du manoir depuis que ma mère est…

Elle s'interrompit. La souris la regarda, les yeux écarquillés.

— L'homme aux yeux cruels et à la moustache pointue a dit qu'ils n'avaient aucune chance de s'en sortir et que leurs têtes feraient de splendides trophées pour son pavillon de chasse*.

Note de pied de page

* Le pavillon de chasse de Rupert von Hellsung s'appelle le Palais sinistre. Il se trouve au milieu d'une sombre forêt au cœur des Alpes bavaroises. En plus de ses trophées accrochés au mur, Rupert von Hellsung possède un hérisson empaillé, du nom de Petizizi, qu'il garde dans une vitrine.

— Les têtes ! C'est encore pire que tout ce que j'avais imaginé !

— C'est sûr, opina Ismaël. On fait quoi ?

Lili enleva ses ballerines à talon et enfila ses chaussons de cuir.

— Il n'y a qu'une chose à faire, déclara-t-elle sombrement.

— C'est… c'est-à-dire ? demanda la souris fantôme.

Les yeux de Lili scintillèrent.

— Organiser une réunion d'urgence du club du grenier.

Le matin suivant, Lili se réveilla tard. Elle trouva dans sa penderie ses habits du samedi et revêtit rapidement la robe blanche, la veste de velours rouge à boutons dorés et la cape vert foncé. Puis, elle prit l'ombrelle brodée de perles qui accompagnait sa tenue.

BANG !

Elle avait décidé de laisser de côté ses grosses chaussures, et c'est en silence qu'elle quitta sa chambre. L'horloge de grand-oncle sur sa cheminée venait de sonner midi.

Dehors, le soleil brillait. Les concurrents de la course de bicyclettes métaphorique étaient sur la ligne de départ.

À vos marques…

Prêts…

Bang !

Maltravers tira le coup de feu qui signalait le début de la course. Les filles de cuisine poussèrent un cri, et les concurrents démarrèrent.

KISLAPÈTE

BEAUTÉ BEIGE

TAM O'SHANTY

PÉGASE

TROYEN

GRABOUILLAGE

JILLY

Au premier tournant, lady George et Tristram, chevauchant Kislapète, prennent la tête, suivis de près par lord Goth sur Pégase. Les poètes Mouillebridge et O'Quincy, respectivement montés sur Beauté Beige et Tam O'Shanty, les talonnent. Puis viennent le Dr Jensen et MacDuff sur Troyen, Mary Shelleyzautres sur Jilly et Martin Puzzlewit sur Grabouillage.

Au niveau de la butte de l'Ambition, Kislapète, Beauté Beige et Tam O'Shanty glissent dans la boue. Lord Goth prend la tête.

De l'autre côté, le Dr Jensen prend de la vitesse. Troyen se débarrasse de Beauté Beige et de Tam O'Shanty en les envoyant la tête la première dans la mare de l'Introspection.

Lady George perd une chaussure sur l'allée
gravillonnée de la Vanité et Tristram tombe
de leur tandem en déchirant sa chemise.

Les concurrents restants foncent vers le marécage
de la Mélancolie et s'y embourbent. Le Dr Jensen
jette une poignée de boue sur Martin Puzzlewit,
qui tombe de Grabouillage en hurlant et s'enfonce
jusqu'à la taille dans le marécage.

Alors que la course atteint l'allée de
la Chance-Inouïe, il ne reste plus que trois
concurrents : le Dr Jensen, lord Goth, toujours
aussi élégant bien que boueux, et Mary
Shelleyzautres, qui s'accroche au guidon
de son cheval à roulettes.

Alors qu'ils entrent sous le couvert des arbres, le Dr Jensen fait une queue de poisson à lord Goth. Depuis sa place dans le side-car, MacDuff essaie de frapper les roues de Pégase avec son club de golf. Lord Goth parvient à lui échapper juste à temps dans un zigzag impressionnant. Le club de MacDuff heurte plusieurs troncs d'arbres, délogeant des écureuils qui tombent dans le side-car. MacDuff pousse un cri perçant qui déconcentre le Dr Jensen. Les deux concurrents finissent contre un arbre.

Lord Goth et Mary Shelleyzautres atteignent le dernier virage, coude à coude. Soudain, un immense oiseau blanc lâche un gros morceau de glace dans le col de la marinière de Mary. Elle pousse un glapissement indigné et perd le contrôle de sa monture. Elle termine dans la chicane de la Désillusion.

Lord Goth soulève élégamment son chapeau
pour célébrer sa victoire. Il franchit la ligne
d'arrivée sous les hourras des domestiques.

Un carton à dessins à la main, Lili revenait
de la vieille glacière. À l'angle de l'aile est, elle agita
son ombrelle au-dessus de la tête pour faire signe
à Arthur Halford. Il répondit d'un hochement
de tête. Lili repartit à la hâte vers la terrasse
vénitienne.

Chapitre treize

Le soir tombait sur le manoir des Frissons frissonnants. Les habitants du hameau des Ormeaux, torches à la main, remontèrent la grande allée, se frayèrent un chemin à travers les ronces et les mauvaises herbes

de l'arrière de l'arrière-jardin (travaux en cours)
et s'amassèrent derrière les vitres poussiéreuses
de l'aile brisée pour assister à la chasse d'intérieur.

Dans le hall, lord Goth et ses invités, armés
de filets à papillons, avaient enfourché leurs
chevaux à roulettes.

Mouillebridge et O'Quincy ne s'adressaient
toujours pas la parole. À califourchon sur leurs
chevaux à roulette, ils se jetaient des regards noirs.

Sur leur tandem, lady George et Tristram partageaient un filet pour deux.

— J'adore chasser le faisan miniature! roucoula lady George.

Derrière elle, Tristram hocha la tête avec enthousiasme.

— Maltravers vient de m'apprendre qu'il nous avait préparé une surprise, annonça froidement lord Goth.

Même s'il ne le montrait pas, il était ravi d'avoir gagné la course de chevaux à roulettes et avait l'espoir de remporter la chasse d'intérieur.

— Comme le dit le Dr Jensen, intervint MacDuff depuis son side-car, quand un homme est fatigué des surprises, c'est qu'il est fatigué de la vie.

Pour ponctuer ces propos, le Dr Jensen donna un coup de manche de filet à papillons à Martin Puzzlewit.

Le caricaturiste serra ses gants de boxe autour
de son guidon en essayant de ne pas répondre à
la provocation. Mary Shelleyzautres se tapota les
cheveux et battit des cils en regardant Rupert von
Hellsung emmitouflé dans sa cape en peau d'ours.

— J'espère que vous n'êtes plus enrhumé, rit-elle.
Heureusement que cette chasse se déroule à l'intérieur.

— Je vais mieux, rétorqua Hellsung, qui,
à la déception de lord Goth, n'avait pas participé
à la course, en prétextant un rhume.

Il avait enfourché son cheval à roulettes,
La Chevauchée des Walkyries.

— Et j'espère bien que cette chasse sera
fructueuse ! ajouta-t-il.

Maltravers émergea de derrière la tapisserie,
son trousseau de clés dans une main, un cor
de chasse dans l'autre.

— Je viens de libérer le gibier, annonça-t-il.
Que la chasse commence !

Il porta le cor à ses lèvres et souffla de toutes ses forces.

Lord Goth et ses invités bondirent en avant et dévalèrent les marches donnant dans l'étroit passage plein de toiles d'araignées qui menait à l'aile brisée.

Petits, petits, petits !

Petits !

Petiiiits !

Les cris des chasseurs résonnaient dans le labyrinthe de couloirs.

Maltravers n'avait rien laissé au hasard. À intervalles réguliers, il avait installé des pancartes qui indiquaient : *Tournez à droite*, ou *Par ici*, ou encore *Tout droit jusqu'à la prochaine intersection*.

Les chasseurs, agitant leurs filets, aperçurent des ailes battantes et entendirent d'étranges cris de singes ainsi que des cavalcades de sabots.

Des planches posées dans l'escalier leur permettaient de l'emprunter sans descendre de leurs montures à roulettes. Des éclats de couleurs vives, du vert, de l'orange et du doré, les guidaient toujours plus haut. À l'extérieur, les villageois brandissaient leurs torches et s'écrasaient le nez contre les vitres.

Les créatures et les chasseurs continuaient de monter de plus en plus haut, empruntant les escaliers préparés pour eux par le garde-chasse. En atteignant le dernier étage de l'aile brisée, lord Goth commença à ralentir.

Tous arrivèrent enfin sur un palier où une pancarte *Par ici* avait été accrochée.

Hellsung dépassa les autres, fonça tout droit et se retrouva sur le toit. Les autres le suivirent.

Une forêt de cheminées se dressait devant eux. Le dôme du manoir scintillait sous la lune et, au pied de l'aile brisée, les torches des villageois flamboyaient.

Lord Goth franchit la porte à son tour et tomba à genoux. Il lâcha Pégase, qui dévala le toit avec fracas. Ses invités se tournèrent vers lui.

Son beau visage baigné de larmes et ses magnifiques cheveux agités par la brise, il murmura :

— Parthénope ! Si obstinée, si indomptable ! Mais
c'est pour ça que je suis tombé amoureux de toi.
Je n'ai pu t'empêcher de monter sur les toits !
Et cette nuit-là… oh, cette nuit-là ! L'orage !
Le tonnerre ! Les éclairs ! L'horreur, l'horreur !

— Ils sont là ! hurla Rupert von Hellsung.

Un peu plus loin, des créatures pétrifiées
de terreur s'étaient réfugiées sur les cheminées.
Une sirène, trois harpies, un faune, un centaure
et deux grands singes.

Lady George, Tristram, les poètes, le Dr Jensen,
MacDuff et Mary Shelleyzautres levèrent leurs
filets mais Hellsung les écarta brutalement
de son chemin.

— Ils sont à moi ! rugit-il en se débarrassant
de sa cape en peau d'ours.

Il portait à la ceinture deux énormes pistolets
à quadruple canon. Sur un des étuis était gravé
Hänsel et sur l'autre *Gretel*.

Il dégaina et tira.

Une fois, deux fois, trois fois, quatre fois…
huit fois.

Chaque coup de feu atteignit sa cible, et les
créatures explosèrent sous les yeux épouvantés
des autres invités. Hellsung rangea Hänsel et Gretel
et, avec un sourire malveillant, brandit une épée.

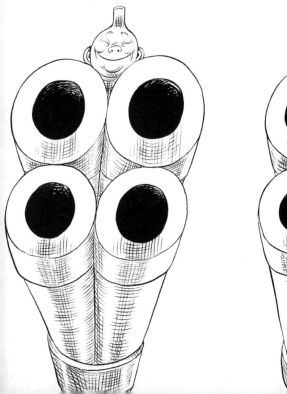
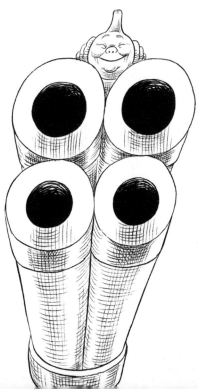

— Maintenant, je vais récupérer les têtes !

Il s'avança sur les ardoises du toit, mais s'arrêta net après quelques pas.

— Qu'est-ce que c'est que ça ? tonna-t-il.

À ses pieds, il n'y avait que de la glace en petits morceaux. Lili sortit de derrière la cheminée, Sesta la sirène à ses côtés.

Puis, un par un, les autres membres du club

du grenier apparurent, tous accompagnés
d'une créature.

Ruby, la fille de cuisine, était avec M. Omalos,
le faune. Emma Chou avait une harpie sur chaque
épaule et une autre perchée sur la tête. Kingsley,
le ramoneur, était bras dessus bras dessous avec
la femme de Barnes tandis qu'Arthur Halford
tenait la main de l'homme sauvage de Putney.
William Chou caressait la crinière d'Hamish,
le centaure des Shetland.

— Je veux mes trophées et je les aurai ! glapit
Hellsung en bondissant sur une cheminée.

L'épée à la main, il se mit à sauter de cheminée
en cheminée. Jusqu'à ce que…

— Rupert von Hellsung ! Nous nous rencontrons
enfin ! fit une voix claire avec un léger accent.

Lucy Borgia se tenait devant lui. La pointe
dorée de son parapluie scintillait dans le clair
de lune.

— Comment osez-vous… balbutia Hellsung
en tendant son épée vers Lucy.

Elle recula de trois pas, fit une pirouette, atterrit
sur une cheminée et poussa délicatement Hellsung
de la pointe de son parapluie. Le chasseur perdit
l'équilibre et tomba dans le conduit.
Il se cogna plusieurs fois et termina
sa chute dans un bruit mat.

— Il a atterri dans la salle de bains de
Zeus ! triompha Kingsley le ramoneur.
Bravo, Lili. Tu as réussi !

— Je n'y serais jamais arrivée sans vous.
La jeune fille rougit.

L'explorateur polaire, coiffé de son
bicorne, apparut derrière elle, son albatros
sur l'épaule. Il ouvrit le coffre où il rangeait
son pied de rechange* et rendit à Emma
ses dessins représentant Sesta et les autres
créatures.

Note de pied de page

* Le pied
de rechange
de l'explorateur
polaire ne lui
sert qu'en cas
d'absolue
nécessité.
À l'instant où
je vous parle,
ce pied utilise
le savoir
de son ancien
propriétaire
(un historien)
pour rédiger
des notes
de bas de page.

— Merci, ça m'a beaucoup aidé.

— Vos sculptures étaient magnifiques, le complimenta Emma. Je suis désolée qu'elles aient été détruites.

— J'en ferai d'autres, lui assura l'explorateur. Mais avant je voudrais avoir une petite discussion avec Mary Shelleyzautres au sujet de son célèbre roman…

Un livre relié de cuir à la main, il se tourna vers la romancière, qui, très pâle, se mit à trembler.

— De l'eau, de l'eau partout, et pas une goutte à boire, ricana l'albatros.

— Je te jure, monstre, balbutia Mary, j'avais l'intention de partager mes droits d'auteur avec toi, mais je n'avais pas ton adresse…

Lord Goth, toujours à genoux, se redressa lentement et se tourna vers Lili et ses amis. Pour la première fois, alors qu'il posait les yeux sur sa fille, il ne détourna pas le regard.

— Ma chère et si courageuse fille ! s'exclama-t-il en ouvrant les bras.

Lili se précipita vers lui.

— Tu ressembles tellement à ta mère, murmura lord Goth en la serrant contre sa poitrine. Courageuse, intrépide et gracieuse.

Puis, il leva la tête vers les créatures.

— Il semble que vous ayez été victimes d'un terrible malentendu. Je ne peux que vous présenter mes plus profondes excuses. Je vous prie d'accepter l'hospitalité du manoir des Frissons frissonnants.

— Mes harpies et moi en serions honorées, répondit Sesta la sirène.

— Avec grand plaisir, sourit M. Omalos. Pas vrai, Hamish ?

L'homme sauvage et la femme de Barnes adressèrent à lord Goth un sourire triste mais plein de gratitude.

— Cette année a été particulière, annonça le père de Lili, et je vais avoir une petite discussion avec mon garde-chasse d'intérieur. Mais je me suis néanmoins bien amusé.

Tous ses invités acquiescèrent.

Au même moment, un carrosse bavarois conduit par un Rupert von Hellsung couvert de suie franchissait les grilles du domaine et disparaissait dans la nuit.

ne semaine plus tard, à la lumière d'une magnifique lune argentée, le club du grenier se réunit sur les toits pour un pique-nique de minuit.

Ruby, la fille de cuisine, avait apporté des cupcakes au concombre et du thé glacé à la framboise. Arthur Halford fit la démonstration de la solidité du harnais qu'il avait fabriqué et Kingsley exécuta une petite danse en équilibre sur la plus haute cheminée du manoir. William se fondit contre une paroi de brique et Emma peignit une aquarelle de la lune.

— Maintenant, c'est mon tour, dit Lili. Je me suis entraînée avec Arthur et Kingsley.

Une corde et un filet de sécurité avaient été tendus entre deux cheminées. Kingsley donna à Lili un balancier fait de brosses de ramonage et l'aida à monter. Elle portait, bien sûr, les chaussons de cuir de sa mère.

Elle avança avec élégance sur la corde et s'arrêta au milieu. Sa silhouette se découpait sur la lune. C'était magnifique.

Tous les membres du club du grenier applaudirent, et Lili salua.

Épilogue

C'est Mary Shelleyzautres qui avait donné l'idée à Lili. Son best-seller, le roman *Le Monstre ou Prométhée fait des bêtises*, avait été publié par un certain Milan et le récit des aventures de l'explorateur polaire avait été très apprécié par le public. Malgré leur petit malentendu, l'écrivain et l'explorateur s'étaient séparés bons amis, et ce dernier avait même promis à Mary de lui parler de son ex-fiancée pour son prochain roman.

Après un séjour d'une semaine, Sesta, les harpies, M. Omalos et Hamish étaient tous retournés chez eux. Ils n'en voulaient pas à lord Goth qui leur avait expliqué qu'il ignorait tout des agissements de Maltravers. Le garde-chasse s'était excusé et avait juré qu'il avait seulement voulu donner un peu de piment à la soirée. Selon lui, il ne savait rien des intentions de Hellsung et n'avait jamais voulu faire de mal aux créatures. Lili n'en croyait pas un mot, mais lord Goth était si gentil qu'il lui accorda le bénéfice du doute.

Lili n'avait aucune confiance en lui et, au regard mauvais que le garde-chasse lui jeta après sa discussion avec lord Goth, elle pouvait dire que le sentiment était réciproque.

La vie reprit son cours, en mieux. Lili ne fut plus obligée de porter ses grosses chaussures et elle pouvait voir son père quand elle le désirait. Lord Goth avait enfin fait son deuil de la terrible tragédie dont sa femme avait été victime et il essayait de rattraper le temps perdu avec sa fille.

Ismaël continuait d'apparaître chaque soir sur le tapis anatolien de Lili. Il était toujours heureux de la voir mais également triste d'être un fantôme.

C'est alors que Lili eut son idée.

Elle se rendit dans le bureau de son père. Il était en train de se promener avec Pégase mais elle savait que ça ne le dérangerait pas. Elle s'accroupit sous son bureau et trouva, dans la plinthe, le trou de souris d'Ismaël. Elle en extirpa tout un tas de minuscules feuillets qu'elle mit dans une enveloppe adressée à M. Milan, l'éditeur. Elle confia ensuite l'enveloppe à Arthur, qui la fit partir par la diligence postale des Ormeaux.

Ce soir-là, Lili entendit le soupir familier d'Ismaël. Quand elle lui eut raconté ce qu'elle avait fait, la souris fantôme la remercia.

— À présent, plus rien ne me retient ici, dit-il en volant jusqu'à la fenêtre. Je crois que je peux partir. Ne m'oublie pas, Lili.

La jeune fille le regarda s'éloigner dans le soleil couchant en murmurant :

— Je ne t'oublierai jamais, Ismaël.

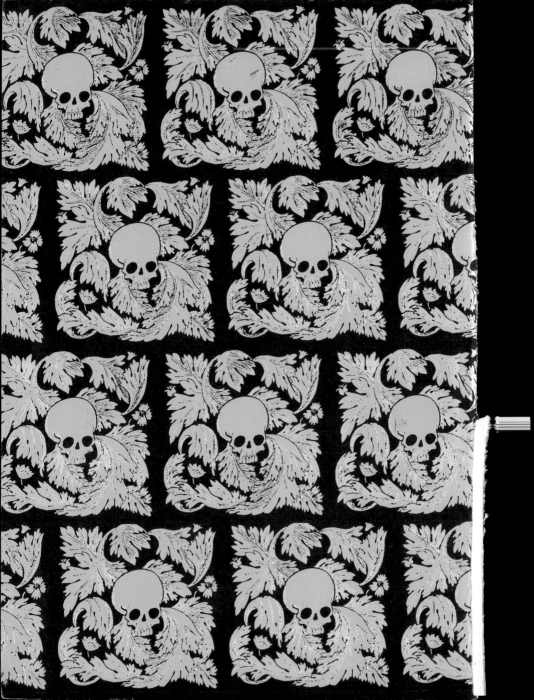